Saúde do Reino

Tatiana Capanema

 Vida

Saúde do Reino

12 Princípios bíblicos
para vivermos
plenamente saudáveis

Editora Vida
Rua Conde de Sarzedas, 246 — Liberdade
CEP 01512-070 – São Paulo, SP
Tel.: 0 xx 11 2618 7000
atendimento@editoravida.com.br
www.editoravida.com.br
@editora_vida /editoravida

Editora-chefe: Sarah Lucchini
Revisão de provas: Paulo Oliveira
Coordenadora de design gráfico: Claudia Fatel Lino
Projeto gráfico e diagramação: Marcelo Alves de Souza
Capa: Vinicius Lira

SAÚDE DO REINO
©2024, por Tatiana Capanema

Todos os direitos desta edição em língua portuguesa são reservados e protegidos por Editora Vida pela Lei 9.610, de 19/02/1998.

É proibida a reprodução desta obra por quaisquer meios (físicos, eletrônicos ou digitais), salvo em breves citações, com indicação da fonte.

•

Exceto em caso de indicação em contrário, todas as citações bíblicas foram extraídas da *Nova Versão Internacional* (NVI) ©1993, 2000, 2011 by *International Bible Society*, edição publicada por Editora Vida.
Todos os direitos reservados.

Todas as citações bíblicas e de terceiros foram adaptadas segundo o Acordo Ortográfico da Língua Portuguesa, assinado em 1990, em vigor desde janeiro de 2009.

•

As opiniões expressas nesta obra refletem o ponto de vista de seus autores e não são necessariamente equivalentes às da Editora Vida ou de sua equipe editorial.

Os nomes das pessoas citadas na obra foram alterados nos casos em que poderia surgir alguma situação embaraçosa.

Todos os grifos são do autor, exceto os indicados.

1. edição: mar. 2024

Dados Internacionais de Catalogação na Publicação (CIP)
(Câmara Brasileira do Livro, SP, Brasil)

Capanema, Tatiana
 Saúde do reino : 12 princípios bíblicos para vivermos plenamente saudáveis / Tatiana Capanema. -- 1. ed. -- São Paulo : Editora Vida, 2024.

 ISBN: 978-65-5584-510-5
 e-ISBN: 978-65-5584-508-2

 1. Bíblia - Estudos 2. Cura pela fé - Narrativas pessoais 3. Deus - Ensino bíblico 4. Princípios bíblicos 5. Saúde - Aspectos religiosos - Cristianismo
I. Título.

24-195612 CDD-248.8

Índice para catálogo sistemático:

1. Saúde : Aspectos religiosos : Cristianismo   248.8
Tábata Alves da Silva - Bibliotecária - CRB-8/9253

Agradecimentos

*A*o médico dos médicos, Senhor dos senhores. Cristo Jesus, meu amado e redentor.

Ao meu amado e sábio marido, Bruno Capanema, um grande homem de Deus, que me trouxe de volta para os caminhos de Jesus e guerreou comigo em oração.

Aos meus pais, Margarida e Clóvis, que tanto amo e que sempre oraram por mim.

Aos meus filhos, Benjamin e Ana, meus amores, fonte de tanta alegria e tão usados pelo Senhor.

A todos os amados que intercedem pela minha vida: pastora Lenita, pastor Léo, pastora Lindalva e pastora Mônica.

A todos aqueles a quem Deus levantou para orar e que geraram em seu útero espiritual a minha cura, a minha conversão e este livro. Obrigada, irmãos.

Sumário

PREFÁCIO
13

INTRODUÇÃO
19

Princípio 1

ACEITE A HERANÇA
E ALINHE-SE
AO PROPÓSITO
27

Princípio 2

EXERÇA A BOA MORDOMIA
DO SEU CORPO
41

Princípio 3

ARREPENDA-SE E
FECHE O RALO QUE DRENA
SUA ENERGIA
55

Princípio 4
JEJUE
65

Princípio 5
CEIE
75

Princípio 6
CUIDE DA SUA ALMA
85

Princípio 7
PERDOE
97

Princípio 8
LIBERTE-SE DA CULPA
107

Princípio 9
TENHA A FÉ QUE CURA
113

Sumário

Princípio 10
PRATIQUE DISCIPLINAS ESPIRITUAIS
121

Princípio 11
DÊ O CRÉDITO DA SUA CURA A DEUS
133

Princípio 12
EXERÇA AUTORIDADE
141

CONCLUSÃO
151

SOBRE A AUTORA
155

Prefácio

Decidi cursar Medicina aos 15 anos por quase ficar órfão de pai, quando ele infartou pela primeira vez, aos 46 anos. Só então ele descobriu que estava diabético, hipertenso, com colesterol alto, obeso e muito estressado. Ele era o primeiro infartado de uma família de longevos, que vivem mais de 80 anos!

Há aproximadamente 30 anos comecei minha jornada na Medicina, quando fui aprovado no vestibular. Foram seis anos na faculdade e mais quatro me especializando em Clínica Médica e Cardiologia. Durante aqueles dez anos, investi mais de 20 mil horas, entre aulas, atendimentos e plantões supervisionados, para aprender Medicina – na verdade, aprender a passar algum remédio para remediar aquilo que os pacientes sentiam e tratar as doenças.

Passei muito poucas horas na minha formação aprendendo sobre prevenção de doenças. A prioridade da formação era outra: tratar doenças, em vez de preveni-las.

Meu pai faleceu aos 69 anos, com pouca qualidade de vida, mesmo tendo recebido os melhores "remédios" disponíveis. Diante da genética que meu pai me legou e de uma formação médica focada em só tratar, basicamente, doenças, precisei buscar conhecimento de prevenção sozinho. Na Classificação Internacional de Doenças (CID), encontramos mais de 15 mil códigos utilizados nas estatísticas relacionadas com saúde e doença. Mas, na realidade, se desconsiderarmos as causas traumáticas, violentas, descobri que podemos resumir as causas básicas das doenças a algumas unidades — no máximo, algumas dezenas.

Isso mesmo! Não existem mais de 15 mil causas de doenças para 15 mil códigos do CID. Descobri que se focarmos em evitar as causas básicas das doenças, podemos ter uma vida saudável. Neste ponto, devemos nos perguntar: o que, então, é saúde? Segundo a Organização Mundial da Saúde (OMS), "saúde é um estado de completo bem-estar físico, mental e social, e não apenas a ausência de doença ou enfermidade".

"Bem-estar físico" se refere ao funcionamento adequado do corpo, ausência de doença e uma boa condição física, que podem sem obtidos, por exemplo, pela prática regular de atividade física e alimentação saudável e balanceada, além de uma boa noite de sono. Ou seja, ser bom mordomo do nosso corpo! "Bem-estar mental" leva em conta o nosso estado emocional e psicológico, que é a capacidade de lidar com o estresse, manter bons relacionamentos, ter autoestima positiva e enfrentar os desafios da vida de maneira adaptativa. E "bem-estar social" ocorre quando participamos da comunidade à nossa volta, temos bons relacionamentos e interações sociais, conexões positivas e suporte emocional.

Diante disso, como poderíamos definir o que é "Saúde do Reino", que você aprenderá a alcançar nesta obra? Eis a definição: é um estado de bem-estar espiritual, físico e mental, obtido pela obediência aos mandamentos de Deus.

No livro de Salmos lemos:

> O Senhor é o meu pastor, nada me faltará. Ele me faz deitar em pastos verdejantes, me leva para junto das águas tranquilas, restaura-me a alma, guia-me pelo caminho certo, por amor do seu nome. *(Salmos 23.1-3)*

Prefácio

Isso fala sobre a Saúde do Reino, isto é, um estado de paz, contentamento e segurança em que a pessoa se sente amada e cuidada por Deus.

Em outra passagem bíblica, Jesus diz: "Eu vim para que tenham vida e a tenham em abundância" (João 10.10, NAA). Essa vida abundante inclui a saúde física, mental e espiritual. É uma existência cheia de propósito e significado.

Ter propósito e significado, aliás, é uma das características marcantes das *blue zones* (ou "zonas azuis"), que são regiões com o número muito acima da média dos seus países de moradores com mais de 100 anos. Curiosamente, a genética não é a característica mais importante para determinar a nossa saúde! Meu avô paterno faleceu aos 85 anos, saudável, andando de bicicleta e trabalhando no seu sítio. Já meu pai quase morreu aos 46 anos! E eu, aos 50 anos, sou saudável! Para a maioria das doenças, a genética contribui em torno de 15%. Os outros 85% são consequência de como interagimos com o ambiente ao redor – consequência direta do nosso estilo de vida.

Atendo diariamente pessoas que afirmam estar obesas e com glicose alta devido à genética da família. Ao longo da consulta, acabo descobrindo que todos daquele grupo familiar têm uma alimentação que não nutre de maneira adequada e não fazem exercícios. Ou seja, não é a genética da família, é o estilo de vida inadequado de todos eles!

Tatiana Capanema nos presenteia neste livro com seu testemunho sobre como obteve a Saúde do Reino, a partir de 12 princípios escritos há mais de dois mil anos. Sua eficácia tem sido comprovada, até mesmo com direito ao Prêmio Nobel com pesquisa relacionada aos efeitos do jejum, que é o quarto princípio do livro.

Quem conhece Tatiana, pessoalmente ou a distância, terá a percepção clara de que ela está compartilhando ao nosso coração todo este manual para que obtenhamos a Saúde do Reino. É uma leitura agradável, leve e emocionante nos vários trechos que falam da sua cura. A autora tem ajudado milhares de pessoas a recuperar a visão e creio que, com esta obra, ela ajudará a restaurar a Saúde do Reino de milhares de pessoas também.

Sugiro que você leia os princípios na sequência em que é apresentada. Talvez você ache que sua necessidade é somente ter mais fé para obter cura. Mas se você não entender que foi criado à imagem e semelhança de Deus, que precisa exercer a mordomia com seu corpo e que podemos viver 120 anos, talvez sua fé não atinja todo o potencial necessário. Todos esses princípios são fáceis de implementar na rotina diária, sem o uso de equipamentos tecnológicos ou algo assim.

Qual é o custo para ter todo esse conhecimento? Apenas praticar estes princípios! Jesus já pagou o preço por nós.

Sidney Cunha
Médico clínico e cardiologista

Introdução

O QUE EU ACHAVA QUE ESTAVA ME MATANDO ME LEVOU PARA A VERDADEIRA VIDA

Em 2017, meu corpo começou a lutar contra mim. Sempre tive uma boa saúde e, depois que fiquei grávida, em 2013, melhorei ainda mais a alimentação e os hábitos de vida. Eu me exercitava com frequência, comia alimentos orgânicos e saudáveis e nunca consumia álcool, cigarro ou alguma substância nociva ao meu corpo. Se eu pudesse classificar meu estilo de vida naquele momento, seria extremamente saudável.

Em 2017, eu estava com 33 anos, uma vida profissional bem-produtiva e já havia lançado o meu primeiro livro *Abra seus olhos: O passo a passo para enxergar melhor e sem óculos*, que chegou a ser o oitavo mais vendido do país. Vinha ajudando milhares de pessoas a enxergar melhor por meio do método de melhora natural da visão, uma técnica de exercícios visuais.

A essa altura, os programas on-line já tinham mais de 30 mil alunos e minhas mídias sociais impactavam milhares de pessoas diariamente. Ensinar sobre saúde natural sempre foi uma missão, que eu estava cumprindo de maneira muito bem sucedida, desde que melhorei minha própria visão com o método e me formei em Terapia Ocupacional na Universidade Federal de São Carlos.

A vida profissional estava voando, e eu me encontrava na minha melhor forma física. Lembro-me de que pesava 53 quilos, estava com a massa magra muito desenvolvida e todos os exames com índices muito bons. Mas, em poucos meses, naquele ano ganhei dez quilos e passei a ter uma alergia inexplicável a praticamente todos os alimentos. Ela se manifestava com tosses, espirros, nariz entupido o tempo todo e dificuldade para respirar.

Lembro-me de que, no primeiro mês em que comecei a me sentir mal, pensei que pudesse ser uma gripe, mas as semanas foram passando e eu não melhorava. Parecia que eu estava sempre resfriada, indisposta, com voz anasalada e inchada, mas, na verdade, não era gripe. Minha impressão era que meu corpo estava surtando. O sistema imunológico, digestivo, respiratório... tudo havia se desajustado de uma hora para outra.

Fui a muitos médicos, como tradicionais, homeopatas, naturistas e nutrólogos, e cada um deles me dava um diagnóstico diferente. Realizei os mais variados exames e testes, desde os de sangue até a análise de fios de cabelo e dentes. Fiz tratamentos com o que havia de mais moderno nas terapias naturais, ozônio, frequenciais, e vários outros, mas nada funcionava. Eu realmente me esforçava e cumpria corretamente os protocolos de tratamento, mas os sintomas não davam trégua e as restrições alimentares só aumentavam. Eu não podia comer nenhum tipo de proteína animal, farinha, ovo nem várias espécies de legumes. Até arroz, gengibre e hortelã pioravam meus sintomas e me faziam tossir a noite toda.

Introdução

Eu passava fome, mas ainda continuava engordando e com os sintomas cada vez mais presentes. Eu sei que existem enfermidades mais graves. Sei também que você pode estar enfrentando algumas delas neste momento, com sintomas muito piores. Cada um de nós tem as suas lutas e sabe, no íntimo, que estar doente pode tirar completamente a nossa paz. Eu já tinha perdido a minha.

Certo dia, fui ministrar uma aula on-line para meus alunos e me lembro de chorar muito depois de entrar ao vivo, porque eu sempre parecia estar gripada e, nos comentários, eles frequentemente me desejavam melhoras para o meu resfriado. Passei um ano inteiro nessa luta, sentindo-me cansada e abatida. Em reuniões de amigos ou família eu chorava, por não poder comer o mesmo que eles. Também chorava quando acordava no meio da noite tossindo, a ponto de me engasgar. E chorava quando me olhava no espelho e me via cada vez mais inchada.

Era muito difícil para eu falar sobre saúde para meus alunos e não conseguir cuidar da minha, o que me doía muito. Eu pensava: como posso ajudar pessoas a se livrarem de doenças, se já faz um ano que eu estou doente?

Até que um dia, Bruno, meu sábio marido, me disse: "Você já parou para pensar que tudo o que você está enfrentando pode ser uma grande batalha espiritual". Hoje, eu entendo o que naquela época não entendia: que Deus tinha um propósito muito maior com a minha saúde do que eu jamais imaginara.

E foi no fim dessa batalha que encontrei a verdadeira saúde, pois o Senhor tinha Saúde do Reino para mim, assim como tem para você.

Mais à frente conto o fim dessa minha história, mas, antes, preciso explicar algo fundamental.

O que é Saúde do Reino

Chamo de Saúde do Reino a totalidade da saúde que Deus oferece à humanidade como parte do seu plano de salvação. Essa saúde inclui cura física, mental e espiritual. Há muitos exemplos de pessoas que foram curadas de doenças e enfermidades físicas por meio da intervenção divina, como o cego de nascença (João 9.1-7), a mulher do fluxo de sangue (Marcos 5.24-34), o paralítico do tanque de Betesda (João 5. 1-18) e muitos outros.

Além disso, não apenas a saúde física, mas a saúde mental também é importante para Deus. A Bíblia fala sobre a importância da paz e do equilíbrio emocional e nos dá muitos conselhos para lidar com o estresse, a ansiedade e outras questões relacionadas a essa área da vida (Salmos 34.17-18; Provérbios 14.30; Filipenses 4.6-7).

Já a saúde espiritual oferece essa fonte de vida e dá base para que a saúde física e a mental existam em nós. A saúde espiritual é o alicerce de nosso bem-estar integral, ou seja, da Saúde do Reino, que, essencialmente, depende da profundidade de nossa conexão e do nosso relacionamento com Deus. É por meio desse vínculo e dessa aliança com o Criador que encontramos a verdadeira fonte de vida que nutre nosso ser — o que nos leva a cumprir nosso propósito, preenchendo e permeando a existência.

Nossa saúde espiritual é um reflexo direto da qualidade do relacionamento que temos com o Senhor, pois ele é o centro de nossa busca por significado e sentido na vida. Quando cultivamos uma conexão próxima com Deus, nossa saúde espiritual se fortalece, proporcionando uma paz interior duradoura e uma esperança que transcende as circunstâncias. Além disso, a saúde espiritual influencia diretamente a saúde física e a mental, uma vez que, para suprir as outras duas plenamente é preciso, em primeiro lugar, cuidar da saúde espiritual.

Será que você tem cuidado da sua saúde nessa ordem? Talvez, só de olhar para o desenho anterior, você entenda que está direcionando da maneira errada as setas de cuidado com a sua saúde.

Buscamos cura física, de maneira física, para enfermidades que surgiram da alma e do espírito (vamos falar adiante sobre corpo, alma e espírito com mais profundidade). A questão é que sua cura também se dará neste sentido:

Em suma, podemos dizer que viver plenamente a Saúde do Reino é ter essas três áreas curadas e abundantemente saudáveis. O Senhor é um Deus de abundância e deseja que seus filhos vivam em plenitude e prosperidade. Jesus disse: "Eu vim para que tenham vida e a tenham em abundância" (João 10.10, NAA).

Se abundância significa a condição de ter uma quantidade mais do que suficiente de algo, saiba que o Senhor tem saúde em abundância para todos nós, ou seja, ele pode até lhe conceder mais saúde do que você precisa.

A Saúde do Reino é integral — isto é, integra saúde espiritual, emocional e física. Portanto, abrange todas as dimensões da nossa vida e é oferecida como parte do plano abundante de restauração e salvação que o Criador tem para nós.

Acredito que existem 12 princípios para conquistar Saúde do Reino. Assim como a Palavra de Deus nos mostra como ter uma vida financeira próspera, ou um casamento duradouro e abençoado, ela também nos orienta a como recebermos essa saúde que vem do alto. É o que veremos ao longo dos próximos capítulos.

ACEITE A HERANÇA E ALINHE-SE AO PROPÓSITO

Princípio 1

Você já parou para pensar que a Bíblia é dividida em Novo e Antigo Testamento e que o termo "testamento" se refere a uma herança? Esse tipo de documento é feito para garantir que o patrimônio de alguém seja disponibilizado segundo a vontade dele. Deus nos deixou de herança a vida eterna, a Saúde do Reino, a vida em abundância e tantas outras bênçãos maravilhosas descritas em sua Palavra. Mas, para que sejamos herdeiros legítimos, precisamos nos tornar seus filhos e aceitar esse conjunto de riquezas divinas.

Por incrível que pareça, algumas pessoas não querem essa herança. Assim como no mundo jurídico um herdeiro pode recusar os bens deixados para ele, também podemos recusar o que o Senhor tem para nós. Saúde do Reino é um legado de Deus para seus filhos, e para podermos usufruir dela, o primeiro princípio é: aceite a herança.

Nenhum dos demais princípios que veremos neste livro importa mais do que este, por isso precisamos começar do básico. Se esse preceito inicial não for cumprido, é como se você quisesse construir uma casa começando pelo telhado.

Assim como uma construção sem alicerces sólidos está fadada a desmoronar, buscar saúde sem aceitar a herança pode resultar em fracasso. E a Bíblia nos orienta a buscar em primeiro lugar o Reino de Deus e sua justiça, pois o restante ele nos acrescenta (cf. Mateus 6.33).

Precisamos olhar para a base, o início de tudo, a fim de estabelecermos uma aliança ou, então, renovarmos nosso pacto de filhos com o Pai para usufruirmos da sua herança. E o que devemos fazer para recebê-la?

1. Crer em Jesus como Senhor e Salvador

O sacrifício de Jesus foi o plano perfeito de Deus para nos salvar e nos dar livre acesso ao Pai e à sua herança:

> Porém alguns creram nele e o receberam, e a estes ele deu o direito de se tornarem filhos de Deus. Eles não se tornaram filhos de Deus pelos meios naturais, isto é, não nasceram como nascem os filhos de um pai humano; o próprio Deus é quem foi o Pai deles. *(João 1.12-13, NTLH)*

Adão e Eva perderam a herança no jardim, pois creram mais nas palavras da serpente que nas do Senhor, mas Deus nos ama tanto que enviou seu único Filho para que, crendo nele, herdemos a eternidade: "Porque Deus amou o mundo de tal maneira que deu o seu Filho unigênito, para que todo aquele que nele crê não pereça, mas tenha a vida eterna" (João 3.16, ACF).

E não só isso. O sacrifício de Jesus nos garantiu o acesso à saúde e à liberdade:

> Certamente ele tomou sobre si as nossas enfermidades e sobre si levou as nossas doenças; contudo nós o consideramos

Aceite a herança e alinhe-se ao propósito

castigado por Deus, por Deus atingido e afligido. Mas ele foi transpassado por causa das nossas transgressões, foi esmagado por causa de nossas iniquidades; o castigo que nos trouxe paz estava sobre ele, e pelas suas feridas fomos curados. *(Isaías 53.4-5)*

Talvez você já tenha recebido Cristo em sua vida, mas nunca tenha tomado posse da Saúde do Reino que ganhou como herança. Nós já somos sarados e curados. A Bíblia não diz "seremos", no futuro, mas, sim, "somos". Ela não afirma que Jesus "sofrerá", mas, sim, que "sofreu". Crer que Jesus é seu Senhor e Salvador pessoal é receber a herança completa. Somos herdeiros de tudo, repito: tudo. Somente aceite!

2. Dizer com a boca que Jesus é Senhor e Salvador

O apóstolo Paulo escreveu:

> Se você disser com a sua boca: 'Jesus é Senhor' e no seu coração crer que Deus ressuscitou Jesus, você será salvo. Porque nós cremos com o coração e somos aceitos por Deus; falamos com a boca e assim somos salvos. *(Romanos 10.9-10, NTLH)*

Deus conhece o nosso coração e sabe todas as palavras que vamos pronunciar antes mesmo de saírem da nossa boca. Mas, ainda assim, ele quer nos ouvir confessar o senhorio de Cristo em nossa vida.

Precisamos dizer que cremos em Jesus como Senhor e Salvador, logo, que aceitamos a Saúde do Reino e amamos a Deus. Renda-se àquele que tudo pode. Renda-se ao dono da cura. E diga em voz alta:

> Jesus, eu te recebo em minha vida e aceito a Saúde do Reino que tens para mim. Perdão pelo tempo que

passei longe, mas estou aqui e quero que reines em minha vida. Creio que és Senhor, que venceste a morte para minha salvação e que, por causa disso, já recebi a cura. Eu desejo receber a tua herança!

Depois de fazer essa oração, creia que o Espírito Santo de Deus inundará seu coração. Eu me lembro do dia em que eu fiz essa oração. Comecei a frequentar a igreja quando era pré-adolescente, principalmente por incentivo do meu pai, mas acabei me afastando quando tinha cerca de 15 anos. Precisei passar por um processo de perdoar pessoas da igreja, sobretudo do ministério de louvor, mas vou abordar essa história em detalhes mais adiante. O fato é que eu nunca pensei que precisasse fazer essa oração de aceitação de Jesus, pois, na minha mente, eu já era próxima de Deus e estava bem com ele.

Ao refletir sobre o passado, percebo uma versão anterior de mim, repleta de ressentimentos, que buscava a orientação divina somente em momentos de necessidade e, às vezes, nem mesmo recorria a essa ajuda, preferindo me apoiar em crenças esotéricas e superstições. Quando estamos longe do Senhor, sentimos uma angústia na alma e sabemos que falta algo. E, até preenchermos esse vazio, que só se preenche com o Todo-Poderoso, buscamos saciar a solidão existencial com o que é do mundo.

Eu passei por isso e acabei me envolvendo com muitas coisas que não são de Deus, pelo que me arrependi e fui perdoada por ele. Quando me casei com o Bruno, o Senhor o usou para me trazer de volta a Cristo. Pastor e filho de pastores, ele pacientemente aturou minhas reclamações e minha resistência em ser batizada e voltar a louvar. Mas depois daquela frase dele — "Será que o que você está passando na sua saúde não é uma grande batalha espiritual?" —, eu fiquei completamente intrigada.

Confesso que pensei, em um primeiro momento: "Esse pastor está doido, acha que tudo é espiritual... e que batalha é essa? Nem existe batalha, é tudo paz e amor...". Claro que não lhe disse isso na hora, mas pensei. E ele, por sua vez, não me confidenciou o que pensava, porque já tinha plena consciência do que Deus estava fazendo em minha vida e que, sim, havia uma batalha espiritual pela minha alma acontecendo bem debaixo do meu nariz. A questão é que eu nem fazia ideia do que era isso.

Alguns dias depois, recebemos o convite de uma amiga para irmos a um retiro chamado Moriá. Segundo ela, seriam três dias na companhia de pastores, com muitos momentos de pregação e louvor. Naquela época, eu não entendia muito bem o que ela queria dizer com isso, mas já estava com aquela sensação de que meu marido tinha razão e, então, imaginei que esse retiro seria um bom lugar para eu entender o que era essa tal questão espiritual que estava acontecendo na minha saúde. Eu já tinha tentado tanta coisa, por que não um retiro da igreja?

Então lá fomos nós. Pegamos um voo até Belo Horizonte e, depois, quase uma hora de van. E quando chegamos, por volta de oito horas da noite, lembro da vontade de sair correndo dali, depois que descobri que eu e o Bruno não ficaríamos no mesmo quarto. "Mulheres para um lado e homens para o outro", disse a organizadora, e lá se foi a história que eu havia criado na minha cabeça, de que iria ficar em um quarto somente com meu marido.

A primeira noite, com quatro mulheres que eu não conhecia dentro do mesmo quarto, já foi desafiadora para mim. Minha estratégia era não conversar muito e dormir logo, porque, assim, aqueles três dias passariam mais rápido.

Na manhã seguinte, fomos para o primeiro momento de louvor e ministração, e nos minutos iniciais eu já estava em prantos e praticamente deitada no colo de uma das facilitadoras. O Espírito Santo me tocou de uma maneira tão profunda! Eu me senti amada e acolhida por ele. E o colo, na verdade, era dele. Parecia que todo o cansaço e a doença daquele ano se transformavam em lágrimas e jorravam pelos meus olhos. Naquele dia começaram minha cura e minha caminhada consciente com Deus. Ele sempre estivera comigo, mas naquele momento eu me dei conta disso – e eu também estava com ele.

Passei por arrependimento, perdão, confissão de Cristo como Senhor e Salvador (com a consequente quebra de crenças e restauração de identidade) e aceitação da saúde perfeita que ele comprou para mim na cruz – tudo naqueles três dias. E era só o começo, eu ainda precisava, e preciso, amadurecer muito.

No último dia do retiro, eu passei na banca de livros e disse para a atendente: "Por favor, me dê todos os livros que você tem sobre batalha espiritual". Lembro que o Bruno arregalou os olhos azuis dele e pediu alguns livros também. Eu lhe disse: "Se isso está acontecendo comigo, eu preciso saber como lidar". Acho que no fundo ele pensou: "Agora ela entendeu". E foi ali que a cura da minha saúde espiritual começou.

Depois de um ano buscando a cura física em respostas físicas, finalmente entendi por que não tinha sucesso: simplesmente, eu não tinha procurado aperfeiçoar minha saúde espiritual primeiro. E ela estava tão ruim quanto a minha saúde física e mental, mas, a partir daqueles três dias, tudo começou a mudar.

Eu tinha tanta sede de aprender mais de Deus que pedi ao Espírito Santo que me orientasse na leitura da Bíblia, dos livros e em tudo o que ainda precisava ser mudado em mim para que eu pudesse ser curada e reinar com ele.

Aceite a herança e alinhe-se ao propósito

Ao receber Cristo em sua vida, você também receberá as orientações divinas para o que precisa ser mudado em você, no seu comportamento e nos seus pensamentos. Mais do que isso, ele vai alinhá-lo ao propósito que já foi estabelecido para sua vida. Sim, propósito! Depois que tomamos posse da herança, Deus nos dá mais clareza do que ele projetou para nossa vida e qual o propósito que ele quer que cumpramos. E não há nada que nos dê mais vigor e saúde do que cumprir esse propósito!

A Bíblia relata que Moisés morreu bem idoso, mas nunca perdeu a saúde e a visão: "Moisés tinha cento e vinte anos de idade quando morreu; todavia, nem os seus olhos nem o seu vigor se enfraqueceram" (Deuteronômio 34.7). Ele tinha um propósito muito grande a cumprir e, de fato, saúde e vigor não lhe faltaram. Eu e você ainda não fomos chamados para abrir o mar Vermelho, mas, assim como Moisés, também temos promessas escritas para nossa vida — e esperar o cumprimento delas com fidelidade e obediência a Deus também nos dá vigor e saúde.

A Bíblia nos apresenta a história de Calebe, que começa durante o período em que o povo de Israel estava prestes a entrar na terra prometida após ter deixado o Egito e atravessado o deserto. Moisés enviou doze espiões para explorar Canaã, território que Deus prometera aos israelitas, e Calebe foi um dos escolhidos. Ao retornar, os doze relataram que a terra era rica e fértil, mas dez deles expressaram medo diante dos obstáculos representados pelos habitantes locais. No entanto, Calebe — junto com o guerreiro Josué — permaneceu confiante na promessa divina de que Canaã seria deles e encorajou o povo a confiar em Deus.

Por causa da incredulidade demonstrada pela maioria dos espiões e pelo povo, Deus decidiu que aquela geração não entraria na terra prometida. No entanto, devido à sua fé, Calebe e Josué foram as únicas exceções.

Deus prometeu a Calebe que ele e seus descendentes herdariam a terra que ele tinha espiado, promessa cumprida quando Josué liderou os israelitas na conquista de Canaã (cf. Josué 1–24). O relato de Josué 14 destaca a fidelidade de Calebe e a realização da promessa divina. Mesmo aos 85 anos, aquele homem estava pronto, e com o mesmo vigor que tinha aos 40, para enfrentar os desafios e lutar pelo que o Senhor lhe havia prometido.

A firmeza de Calebe, mesmo em meio às adversidades, ao longo dos 45 anos que passou no deserto, demonstrou uma confiança inabalável no poder e nas promessas do Senhor. Como ele disse para Josué:

> Pois bem, o SENHOR manteve-me vivo, como prometeu. E foi há quarenta e cinco anos que ele disse isso a Moisés, quando Israel caminhava pelo deserto. Por isso aqui estou hoje, com oitenta e cinco anos de idade! Ainda estou tão forte como no dia em que Moisés me enviou; tenho agora tanto vigor para ir à guerra como naquela época. *(Josué 14.10-11)*

Enquanto a maioria das pessoas hesitaria diante dos desafios de conquistar uma terra habitada, Calebe exibia um vigor verdadeiramente impressionante. O Senhor, fiel às suas palavras, preserva a vida dos tementes e obedientes que estão debaixo dos seus propósitos e das suas promessas, transcendendo as limitações da idade, revelando um vigor que vai além das expectativas humanas.

Moisés e Calebe confiavam em Deus, eram obedientes e tementes. É possível, sim, ter uma saúde física como a daqueles homens. Nós também podemos ter esse vigor até nas mais avançadas idades, e a Bíblia nos garante isso.

> Será que você não sabe? Nunca ouviu falar? O SENHOR é o Deus eterno, o Criador de toda a terra. Ele não se cansa nem fica

exausto; sua sabedoria é insondável. Ele fortalece o cansado e dá grande vigor ao que está sem forças. Até os jovens se cansam e ficam exaustos, e os moços tropeçam e caem; mas aqueles que esperam no Senhor renovam as suas forças. Voam alto como águias; correm e não ficam exaustos, andam e não se cansam. *(Isaías 40.28-31)*

Essa promessa não é maravilhosa? Deus nos faz voar como águias, independentemente de nossa idade, e renova constantemente as nossas forças. Basta esperar nele, confiar que ele é nosso Pai perfeito, que já estabeleceu nosso propósito e nos dará força e vigor para cumpri-lo.

Muitas vezes, quando estamos doentes, ficamos tão tristes que nos esquecemos de que temos um propósito muito maior a cumprir, já estabelecido por Deus. Ninguém nasce sem propósito. O Senhor escreve todos os nossos dias antes mesmo de eles existirem.

Se você ainda não entendeu a maravilha que isso significa, leia Salmos 139. É meu salmo preferido, porque não tem como ler e achar que não sou amada e que Deus não pensou em todos os detalhes para me colocar no mundo e cumprir o propósito que determinou para mim. Veja que poderoso:

> Tu criaste cada parte do meu corpo; tu me formaste na barriga da minha mãe. Eu te louvo porque deves ser temido. Tudo o que fazes é maravilhoso, e eu sei disso muito bem. Tu viste quando os meus ossos estavam sendo feitos, quando eu estava sendo formado na barriga da minha mãe, crescendo ali em segredo, tu me viste antes de eu ter nascido. Os dias que me deste para viver foram todos escritos no teu livro quando ainda nenhum deles existia. *(Salmos 139.13-16, NTLH)*

Foi com muito amor, cuidado e detalhe que Deus criou você, e ele já escreveu todos os seus dias. Só precisamos nos alinhar com o que já foi escrito, e fazemos isso confiando no Senhor, amando-o e fazendo sua vontade.

Agora, independentemente do que o Criador escreveu para sua vida, ele espera que você o tema e o sirva no intuito de expandir o Reino. Ele quer que ajamos como sal da terra e luz do mundo: "Vocês são a luz do mundo. Não se pode esconder uma cidade construída sobre um monte" (Mateus 5.14). Se você ainda não tem certeza de que se alinhou ao propósito divino para sua vida, siga iluminando o mundo, ou seja, falando de Jesus para as pessoas, ajudando o próximo, expandindo o Reino de Deus e glorificando e agradecendo a ele todos os dias.

Nenhuma doença resiste a um filho de Deus que ilumina o mundo todos os dias, pois o vigor do Senhor invadirá as suas células. Não importa quantos anos você tenha, se 85, 40, 20 ou até mesmo 120, como Moisés tinha ao falecer. Se Deus ainda não o levou, ou seja, se você ainda vive neste mundo, é porque algo ainda precisa ser cumprido – então não esconda a sua luz.

O Espírito Santo começou a trabalhar em mim naquele ano de 2017 enquanto eu ainda estava doente, para que eu pudesse caminhar na direção que ele queria. É como se ele tivesse falado assim comigo: "Vamos lá, Tati, chega de brincar! Chegou a hora, quero começar a usá-la de verdade aqui na terra! Mas, para isso, filha, você precisa mudar muita coisa e ter um relacionamento muito mais profundo comigo. Eu a amo e a quero para mim".

Meu mergulho e minha busca foram tão intensos que, depois de seis meses de conversão, crendo em Jesus como meu único Senhor e Salvador, fui batizada, assumi o ministério de louvor da igreja e, em um ano, Deus direcionou a pastora principal da igreja para me consagrar pastora – para honra e glória do Senhor!

Aceite a herança e alinhe-se ao propósito

Deus é tão lindo que me revelou na sua Palavra muitos tesouros escondidos sobre saúde. Meu ministério e minha missão profissional começaram a caminhar juntos e passei a falar do Todo-Poderoso, do amor de Jesus e da Saúde do Reino durante as minhas aulas e os meus cursos sobre saúde. Em poucos anos, o número de alunos mais que triplicou e 100 mil pessoas já faziam parte dos nossos programas on-line de saúde natural, em mais de 60 países, em quatro idiomas.

Em toda oportunidade que aparecia, eu orava pelas pessoas durante as aulas on-line. Deus é tão maravilhoso que cheguei a fazer transmissões ao vivo para mais de 28 mil pessoas, simultaneamente, no Brasil e mais de 35 mil pessoas no idioma espanhol. Minhas redes sociais ultrapassaram 2,3 milhões de assinantes, juntando os quatro idiomas (português, espanhol, inglês e indonésio).

Ser usada por Deus para levar conhecimento e revelação sobre Saúde do Reino para pessoas, louvá-lo e honrá-lo, cumprindo seu propósito, é, sem dúvidas, o que me enche de vigor todos os dias.

Quando você aceita Jesus como Senhor e Salvador e começa a ser guiado pelo Espírito Santo, esperando com paciência o cumprimento das promessas divinas, fazendo sempre o bem para você e para as outras pessoas, não tem como você não se alinhar com o propósito dele – e, consequentemente, viver com mais vigor.

Depois de aceitar a Jesus como seu Salvador, você vai receber a herança e seguir em busca de estar no maior alinhamento possível com o propósito, perseverando na promessa, e esse já é um primeiro grande passo para conquistar a Saúde do Reino. Os próximos passos serão em terra firme, porque a base já foi construída.

Viva a herança e alinhe-se ao propósito

1. Encontre um momento todos os dias para reafirmar sobre a sua vida e a vida da sua família que vocês viverão todos os dias na presença do Senhor. Você pode declarar em voz alta, se assim desejar.

2. Reflita sobre as perguntas abaixo. Elas podem ajudá-lo a alinhar-se com o propósito divino em sua vida, o que, com certeza, lhe dará mais vigor e saúde:

    - *Em quais atividades você encontra alegria e satisfação espiritual?*
    - *Quais habilidades as pessoas reconhecem naturalmente em você?*
    - *Quando alguém lhe pede ajuda, existe uma razão recorrente para esses pedidos?*
    - *Quais pessoas ou causas despertam sua compaixão e seu interesse?*

3. Depois de responder às perguntas acima, reflita se você vem exercendo os dons que Deus lhe deu, servindo a ele e, consequentemente, servindo ao Reino. Você pode descobrir que muitos talentos precisam ser desenterrados e que florescer aquilo que o Senhor planejou para a sua vida vai lhe trazer muita energia e saúde.

Princípio 2

EXERÇA A BOA MORDOMIA DO SEU CORPO

O que você vai ler neste capítulo pode parecer básico demais, e tenho certeza de que você já ouviu sobre alguns cuidados que precisa ter com o seu corpo. Mas a grande questão é a seguinte: se já sabemos sobre muitas coisas que são boas para nossa saúde, por que nem sempre conseguimos pô-las em prática?

Já sabemos que precisamos nos alimentar bem, descansar e praticar exercícios físicos, mas o que talvez alguns de nós ainda não compreendam é o motivo mais profundo para termos esses cuidados com o nosso corpo físico.

Somos mordomos do templo do Espírito, o nosso corpo. Por isso, precisamos falar mais sobre como devemos exercer uma boa mordomia no cuidado com ele. Na verdade, somos compostos de espírito, alma e corpo. Por isso, vamos diferenciar o que é corpo, o que é alma e o que é espírito.

As três partes do ser humano
1. Corpo
O corpo é a parte física e tangível de uma pessoa. É por meio dele que experimentamos o mundo material e interagimos com ele.

Como a Bíblia nos ensina que o corpo é templo do Espírito Santo, devemos cuidar dele adequadamente. Paulo escreveu:

> Ou não sabeis que o vosso corpo é o templo do Espírito Santo, que habita em vós, proveniente de Deus, e que não sois de vós mesmos? Porque fostes comprados por bom preço; glorificai pois a Deus no vosso corpo e no vosso espírito, os quais pertencem a Deus. *(1Coríntios 6.19-20, ACF)*

2. Alma

Acredito que a alma é a parte imaterial e individualizada de uma pessoa, que inclui a mente, as emoções e a vontade. É a sede da personalidade e da consciência individual. Mais à frente ainda vamos conversar muito sobre a alma, pois existe uma conexão profunda entre a saúde do corpo e a saúde da alma. Muitas passagens da Bíblia relacionam essas duas partes, como: "O coração bem disposto é remédio eficiente, mas o espírito oprimido resseca os ossos" (Provérbios 17.22) e "O coração em paz dá vida ao corpo, mas a inveja apodrece os ossos" (Provérbios 14.30).

3. Espírito

O espírito é a parte mais profunda e transcendente de uma pessoa. É o que se conecta com o Senhor e tem a capacidade de se relacionar com ele.

É por meio do espírito que podemos adorar a Deus como ele deseja:

> Mas virá o tempo, e, de fato, já chegou, em que os verdadeiros adoradores vão adorar o Pai em espírito e em verdade. Pois são esses que o Pai quer que o adorem. Deus é Espírito, e por isso os que o adoram devem adorá-lo em espírito e em verdade. *(João 4.23-24, NTLH)*

Embora exista uma distinção entre corpo, alma e espírito, eles estão interconectados e influenciam um ao outro. Ter Saúde do Reino significa ter saúde em cada uma dessas três partes, e para isso precisamos entender que somos mordomos de Deus, isto é, que tudo o que temos na verdade não nos pertence, mas ao Criador; somos apenas cuidadores daquilo que o Senhor, em seu grande amor por nós, pôs à nossa disposição.

Você reparou que quando Paulo escreve que somos templo do Espírito, ele diz que, na verdade, não somos donos de nada? Vamos reler 1Coríntios 6.19-20:

> Ou não sabeis que o vosso corpo é o templo do Espírito Santo, que habita em vós, proveniente de Deus, *e que não sois de vós mesmos*? Porque fostes comprados por bom preço; glorificai pois a Deus no vosso corpo e no vosso espírito, os quais *pertencem a Deus*. *(ACF, grifos da autora)*

A mordomia do corpo

Somos mordomos de uma preciosidade criada por Deus: nosso corpo. E um bom mordomo cuida bem das coisas do seu Senhor. A Bíblia relata a história de Eliezer, apresentado como bom servo e mordomo do patriarca Abraão. Como ocupante desse cargo, aquele homem tinha a responsabilidade de administrar os bens de seu mestre com fidelidade e diligência, e ele demonstrou ser um mordomo exemplar, cumprindo suas obrigações com zelo e integridade. E, embora não haja muitos versículos que falem especificamente sobre ele, sua lealdade e seu serviço são implicitamente reconhecidos em algumas passagens (cf. Gênesis 15.2; 24.2, 34, 36).

Eliezer cumpriu princípios da boa mordomia, e podemos aprender com ele. Aqui estão quatro maneiras de aplicá-los:

1. Gratidão

Assim como Eliezer era grato pela confiança depositada nele, devemos ser gratos por termos o corpo que Deus nos deu, com todas as suas particularidades e individualidades. Reconhecendo que nosso corpo é um presente divino, devemos cuidar dele com gratidão e apreço.

2. Administração adequada

Da mesma forma que Eliezer administrava os bens de seu mestre com responsabilidade, devemos cuidar do nosso corpo de forma correta. Isso inclui alimentação balanceada, exercícios físicos, descanso adequado e a rejeição de hábitos prejudiciais à saúde.

3. Fidelidade

Eliezer era fiel nas tarefas que lhe foram confiadas. Da mesma forma, devemos ser fiéis a Deus, que nos delegou o cuidado com nosso corpo. Isso envolve adotar regularmente um estilo de vida saudável.

4. Integridade

Eliezer demonstrou integridade em suas ações como mordomo. Nós também devemos buscar a integridade em relação ao nosso corpo, evitando abusos, vícios e comportamentos prejudiciais à saúde física, mental e espiritual.

Ao seguirmos o exemplo de Eliezer, como mordomos responsáveis, podemos honrar a Deus por meio do cuidado com o corpo. Reconhecendo que ele é templo do Espírito Santo, devemos tratá-lo com respeito e responsabilidade. Com isso, deixamos de enxergar a busca por uma vida saudável como uma obrigação que empurramos com a barriga e passamos a vê-la como um ato de gratidão e honra ao Criador.

Você deve cuidar do seu corpo para a glória de Deus, e isso, sim, é um motivo profundo, que deve impulsioná-lo todos os dias. E o Senhor é tão maravilhoso que nos deu um corpo forte, com uma notável capacidade de regeneração e cura.

Não sei se você é como eu, que gosto muito de entender como funciona essa máquina perfeita que Deus criou. Mas, mesmo que não seja, não tem como negar que a complexidade e a maravilha do corpo humano são testemunhos poderosos da existência de um Criador sábio e amoroso. A anatomia e o funcionamento do corpo humano desafiam qualquer explicação puramente materialista. Cada sistema do corpo, desde o cardiovascular até o nervoso, é perfeitamente projetado para realizar funções específicas e trabalhar em harmonia com os demais. Os órgãos, os tecidos e as células interagem de maneira precisa e coordenada, para manter o equilíbrio e a saúde do organismo.

Além disso, a capacidade de autorregulação e autorreparação do corpo humano é notável. O sistema imunológico, por exemplo, possui mecanismos complexos para defender o corpo contra invasores e restaurar a saúde após uma lesão ou infecção. O fato é que Deus nos deu uma máquina maravilhosa e perfeita, e precisamos urgentemente cuidar bem dela – e digo "cuidar bem" porque as nossas escolhas pessoais influenciam diretamente o funcionamento do corpo.

Estudos sugerem que apenas cerca de 10% das doenças são exclusivamente determinadas pela genética. Isso significa que, na maioria dos casos, fatores ambientais e estilo de vida desempenham papel fundamental.

Cuidados de um bom mordomo
Alimentação saudável
Começar por uma boa alimentação já é um grande passo. E não estou falando de dietas da moda, mas de bom senso. Deus criou a natureza com seus recursos para o benefício do ser humano;

então, se você evitar os alimentos industrializados e preferir legumes, folhas, frutas e raízes já será uma boa escolha. É claro que cada um de nós tem uma necessidade calórica e nutricional, e este livro não tem como objetivo ensinar profundamente sobre alimentação. Por isso, você precisa buscar um profissional especializado em nutrição funcional para orientá-lo pessoalmente.

Além disso, recomendo que dedique um tempo para estudar sobre alimentação saudável e entender o que verdadeiramente nutre o seu templo do Espírito. Mas, com um pouco de bom senso, você saberá ingerir aquilo que lhe faz bem. E quando for optar pela lasanha pronta ou o refrigerante, lembre-se do que Deus espera de um bom mordomo e reflita se o que você está ingerindo será para a glória dele.

Suplementos

Dedique-se também a consumir vitaminas e minerais. Ingerir suplementos não é frescura ou coisa de gente rica, muito pelo contrário. A agricultura moderna e industrializada muitas vezes nos fornece alimentos com baixo teor de vitaminas e outros nutrientes e, dependendo do país em que você vive, as condições de solo e clima não lhe permitem ter acesso a tudo aquilo de que nosso corpo necessita.

O Brasil, por exemplo, tem o solo pobre em magnésio, um mineral muito importante e que participa de quase todos os processos metabólicos. Suplementar, nesse caso, é extremamente importante.

Mesmo que você plante o seu alimento ou consuma somente orgânicos, o que eu recomendo, ainda assim seriam necessários quilos e quilos de legumes, frutas e vegetais para suprir a necessidade diária que o seu corpo demanda de algumas vitaminas essenciais.

Procure por um nutrólogo que possa orientá-lo a consumir exatamente aqueles suplementos de que você precisa. Vitaminas não são medicamentos, e se você as ingerir, provavelmente vai gastar menos com remédios na farmácia.

Chás e plantas medicinais

O mesmo vale para o consumo de chás e plantas medicinais. Sabe aquele chazinho de romã que a sua avó fazia quando você tinha dor de garganta? Ou aquele gel de babosa que ela aplicava quando você se machucava no quintal? Pois é, ela sabia usar os recursos da natureza – amplamente disponibilizados por Deus.

Mesmo que você não tenha uma avó especialista no uso desses elementos naturais para lhe mostrar como utilizar essas receitas poderosas, hoje, na internet, você encontra muitas informações, assim como em boas casas de produtos naturais ou farmácias de manipulação.

Terapias naturais

Precisamos resgatar os conhecimentos e a prática de terapias naturais, tais como argiloterapia e massagens. Muitas das técnicas naturais para melhorar a saúde e relaxar o corpo foram sequestradas por esoterismo, bruxaria e outras práticas com as quais não concordamos. Em parte, nós, cristãos, somos responsáveis por esse sequestro em razão de nossa omissão, pois não nos apropriamos dessas técnicas e muitas vezes até mesmo consideramos o seu uso algo errado.

Chegou a hora de darmos um basta nisso. Devemos tomar posse dessas práticas e ter mais cristãos praticando massagem ao som de louvores, tomando chás e nos alimentando melhor, para a glória de Deus. Temos de parar de pensar que terapias naturais são coisa de "natureba esotérico". Não é. Nosso Senhor criou as plantas, e delas produzimos cremes, óleos essenciais e chás. A natureza foi criada por Deus, e ao recebermos Jesus como nosso Salvador, temos herança e domínio sobre ela e seu uso.

O salmista deixou claro que Deus nos fez para dominar e cuidar dos recursos que ele criou:

> Tu o fizeste [o ser humano] um pouco menor do que os seres celestiais e o coroaste de glória e de honra. Tu o fizeste dominar as obras das tuas mãos; sob os seus pés tudo puseste: todos os rebanhos e manadas, e até os animais selvagens [...].
> *(Salmos 8.5-8)*

Eu aprendi que cuidar da minha saúde de maneira mais natural é exercer melhor mordomia do meu corpo. Antes de buscar um tratamento mais agressivo, pesquiso sobre qual planta ou terapia natural me ajudaria e oro para que Deus me oriente e mostre o que devo fazer.

Peça ao Espírito Santo que o presenteie com o dom de discernimento e o oriente sobre a quais dos tratamentos naturais você precisa se dedicar mais e quais precisa incorporar em sua vida. Deus construiu maravilhosamente cada detalhe dessa máquina perfeita que é o nosso corpo, então nada melhor do que perguntar a ele qual é a melhor forma de cuidarmos dela.

Movimentação

Você precisa movimentar seu corpo. Deus lhe deu mais de 600 músculos, cuja função é contrair e relaxar e, com isso, movimentá-lo. Com certeza ele não criou uma máquina de se movimentar para que você fique parado, ou passe horas sentado em frente a um computador, um celular ou uma televisão. Experimente se movimentar por cinco a dez minutos a cada hora em que estiver parado. Caminhe um pouco, alongue-se e respire profundamente.

Eu sei que você já conhecia a importância de mover seu corpo, mas creio que, a partir de agora, você entendeu que ter boa mordomia é administrar bem a quantidade de músculos e vasos sanguíneos que Deus lhe deu e que exercitar o corpo é a melhor forma de cuidar de todas essas estruturas.

Estudos mostram que existe uma relação entre ter mais massa muscular, principalmente nas pernas, e ter menos chances de sofrer de demência, desenvolver mais autonomia na velhice e viver mais. Exercícios são ótimos preventivos de doenças, mas também podem ser o "remédio eficiente" de que você precisa.

Depois de tantos anos ajudando pessoas com as mais diversas enfermidades, sei que movimento é vida para o corpo e que quanto mais parados ficamos, mais doentes estamos. Muitas vezes, as dores provocam o medo do movimento e estão relacionadas a uma falsa crença de que, quando envelhecemos, precisamos ficar mais parados. É verdade que cada um tem o seu limite, mas entenda que não praticar nenhum tipo de atividade física é ser um péssimo mordomo dessa supermáquina de se movimentar que Deus lhe deu. Pense em como sair do sedentarismo agora e aja com urgência.

Em um dos nossos programas de saúde, chamado +Natural, utilizamos movimentos leves e diferentes em sequências específicas (trilhas), para ajudar a lidar com vários tipos de problemas de saúde, como diabetes, pressão alta, dores nas costas e artrose nas articulações. Recebo relatos de pessoas que não conseguiam dormir de tanta dor e que, depois de praticar as trilhas de movimentos, voltaram a correr. Também de mulheres com 80 anos que não precisam mais usar as meias para conter as varizes e as dores nas pernas. E testemunhos de pessoas que recebem alta médica do remédio para pressão alta que consumiam havia mais de vinte anos.

Quando cuidamos bem do nosso corpo, somos capazes de viver bem com ele até o fim da vida. A máquina não dá problemas, porque quem a construiu nos dá garantia eterna de seu bom funcionamento — basta fazermos a nossa parte.

Descanso adequado

Você também precisa descansar. Jesus descansava e respeitava os limites do seu corpo terreno — e olha que ele tinha uma missão a cumprir muito mais importante do que a de qualquer um de nós.

Não pense que descansando menos você produzirá mais, porque isso não é verdade. Confie que Deus e seus anjos trabalham enquanto você dorme e descansa.

Portanto, respeite as horas de sono e ore ao Senhor, pedindo que o abasteça com a energia dele enquanto você dorme. Dormir à noite e acordar durante o dia foi o que Deus projetou para nós, logo, alinhe-se a isso. É por essa razão que o Criador pôs à nossa disposição a luz solar, como veremos a seguir.

Luz solar diariamente

Deus, em sua sabedoria, criou o Sol como a fonte de luz e calor para a Terra. Ele projetou nosso corpo para se beneficiar da luz solar, pois ela nos proporciona nutrientes essenciais, regula nossos ritmos internos e promove saúde física e emocional.

Logo, tome sol todos os dias, por pelo menos dez a vinte minutos, sem protetor solar, pois o protetor inibe a produção de vitamina D. A exposição solar é uma maneira importante de obter essa vitamina essencial para a saúde dos ossos, a melhora da função imunológica e o bem-estar geral.

Tomar sol ainda ajuda a manter nosso ritmo de vida equilibrado, o que é importante para regular o sono, o humor, a digestão e a liberação de serotonina, o que pode ajudar a combater a depressão.

A luz do Sol também aumenta a produção de glóbulos brancos, responsáveis pela defesa do corpo contra infecções e doenças, e ajuda a regular a pressão arterial e a melhorar a circulação sanguínea.

Muitos mitos nos afastaram dessa luz tão maravilhosa criada por Deus, e o lucro expressivo das grandes marcas de óculos escuros está diretamente vinculado à crescente apreensão da população em relação à exposição à luz solar.

Eliminação de hábitos nocivos

Trabalho com saúde natural há vinte anos e já presenciei melhoras incríveis de problemas corporais, mentais e visuais quando as pessoas realmente compreendem que precisam cuidar de si de maneira mais natural. Portanto, resgate bons hábitos, faça uso de recursos disponíveis na natureza e livre-se de venenos que você consome todos os dias.

Parece óbvio que para ser um bom mordomo do corpo você precisa se livrar de vícios, como cigarro, álcool, drogas, além do uso abusivo de remédios, mas, mesmo sendo evidente, muita gente procura cura, porém se envenena todos os dias. Quebre essa maldição em sua vida. Ore pedindo perdão a Deus, e ele vai libertá-lo.

Jesus não pagou o preço na cruz por nós para que sejamos escravos de substâncias químicas, remédios e drogas. Lembre-se de que somos mordomos e não devemos acumular lixo nessa mansão maravilhosa que o Senhor nos deu para cuidar. Ele nos permite desfrutar dela, mas, para isso, precisamos zelar por ela.

Decida, hoje, buscar saúde abundante e um maior alinhamento com os planos de Deus para o seu bem-estar. Que possamos ser guiados pela sabedoria divina e abraçar um estilo de vida saudável e integral, honrando nosso corpo como o templo do Espírito Santo que ele é.

Seja um bom mordomo do corpo

Aqui estão sete práticas saudáveis que podem ser incorporadas para promover um estilo de vida equilibrado e alinhado ao plano de Deus para nossa vida:

1. **Eliminar hábitos nocivos**

   Comprometa-se a identificar e abandonar, hoje, hábitos prejudiciais, como fumo, consumo excessivo de álcool ou outros vícios que possam prejudicar sua saúde física e espiritual.

2. **Alimentação saudável**

   Faça uma lista de compras no mercado que seja rica em alimentos nutritivos, como frutas, vegetais, grãos integrais e proteínas magras. Além disso, olhe agora a sua despensa, ou armário onde armazena os alimentos, e se desfaça de alimentos industrializados, processados e tudo aquilo que você sabe que não lhe faz bem. Lembre-se de que seu corpo é templo de Deus, e nutri-lo adequadamente é uma expressão de gratidão.

3. **Suplementação**

   Considere a inclusão de vitaminas e minerais em sua rotina, buscando orientação profissional para garantir que suas necessidades específicas sejam atendidas.

4. **Chás e terapias naturais**

   Explore o poder terapêutico de chás e tratamentos naturais. Faça uma busca agora na internet sobre ervas e terapias que podem beneficiar o tratamento natural de algum problema de saúde específico que você esteja enfrentando.

5. **Atividade física regular**

   Comprometa-se a praticar exercícios físicos regularmente, escolhendo atividades que tragam alegria e vitalidade ao seu dia. Defina qual será a atividade e o melhor horário e comece a se movimentar.

6. **Descanso adequado**

   Reconheça a importância do descanso e estabeleça uma rotina de sono consistente. O repouso adequado é vital para a regeneração do corpo e da mente, permitindo que você esteja revigorado para enfrentar cada dia.

7. **Banho de sol diário**

   Aproveite a luz do Sol diariamente, permitindo que seu corpo sintetize a vitamina D. Escolha agora o melhor horário para você. Seria pela manhã, na hora do almoço ou no meio da tarde?

Ao incorporar esses hábitos saudáveis à sua vida diária, você não apenas cuida do templo que Deus lhe deu, mas também se alinha ao plano divino de viver de forma plena e abundante. Que essas práticas se tornem não apenas parte de sua rotina, mas expressões tangíveis de gratidão pela dádiva da vida que Deus nos concedeu.

Princípio 3

ARREPENDA-SE E FECHE O RALO QUE DRENA SUA ENERGIA

A Bíblia nos indica duas realidades para termos saúde e vigor:

> Não seja sábio aos seus próprios olhos; *tema o Senhor e evite o mal*. Isso dará a você saúde ao corpo e vigor aos ossos. *(Provérbios 3.7-8, grifo da autora)*

Na Nova Tradução na Linguagem de Hoje, o texto diz:

> Não fique pensando que você é sábio; *tema o Senhor e não faça nada que seja errado*. Pois isso será como um bom remédio para curar as suas feridas e aliviar os seus sofrimentos. *(grifo da autora)*

Vemos, assim, que temer a Deus e evitar o pecado são requisitos para alcançar a Saúde do Reino.

Praticar o mal drena nossa energia e saúde, por isso precisamos fechar esse ralo todos os dias. Com isso em mente, vamos refletir sobre temer a Deus e, depois, entender como fechar o dreno do pecado, mesmo porque essa segunda ação depende da primeira.

Tema ao Senhor

Para saber se verdadeiramente tememos a Deus, precisamos entender o que significa *temer*. Será que é só obedecer? Honrar? Amar? Adorar? Ter medo? Quando comecei a estudar sobre temor e a levar essa palavra para as pessoas, percebi que, quando eu perguntava o que era temer ao Senhor, as pessoas se confundiam com as definições.

Porém, é muito importante termos certeza de que somos tementes a Deus, porque a Bíblia apresenta o temor como princípio da sabedoria: "O temor do Senhor é o *princípio da sabedoria*; bom entendimento têm todos os que cumprem os seus mandamentos; o seu louvor permanece para sempre" (Salmos 111.10, ACF, grifo da autora).

E não é só isso. Quem teme a Deus se torna participante de muitas bênçãos e promessas. A Bíblia nos promete, por exemplo, que temê-lo nos leva a receber:

- A bondade do Senhor – "Oh! quão grande é a tua bondade, que guardaste *para os que te temem*, a qual operaste para aqueles que em ti confiam na presença dos filhos dos homens!". *(Salmos 31.19, ACF, grifo da autora)*

- A proteção dos anjos – "O anjo do Senhor acampa-se ao redor *dos que o temem*, e os livra". *(Salmos 34.7, ACF, grifo da autora)*

- Abundância de dias de vida com atenção e cuidado de Deus – "Eis que os olhos do Senhor estão sobre *os que o temem*, sobre os que esperam na sua misericórdia; para lhes livrar as almas da morte, e para os conservar vivos na fome". *(Salmos 33.18-19, ACF, grifo da autora)*

Temor a Deus é a base de um relacionamento profundo com ele. É mais do que amar, até porque é o temor que nos leva a amar e adorar ao Senhor.

Arrependa-se e feche o ralo que drena sua energia

Não é possível definir em uma só frase o que é temer ao Criador, então compartilho a melhor explicação que já encontrei, citada por John Bevere: temor do Senhor é um profundo e permanente respeito e reverência por Deus e por todas as coisas que ele declara santas. É atribuir-lhe o mais elevado lugar de honra em sua vida. É tremer profundamente, com reverência, diante do privilégio de sua presença grandiosa e da maravilha da sua Palavra. É adorar apenas ao Senhor, com louvor apaixonado e agradecimento contínuo. É uma disposição interna que produz pavor diante do simples pensamento de ofender o Todo-Poderoso. É honrar o que ele honra, amar o que ele ama, detestar o que ele detesta e fazer do interesse dele o nosso interesse.

Você entende quanto essa definição é mais profunda? Temer é a base, a fundação da sua vida com Deus e, consequentemente, da sua Saúde do Reino. E quando o tememos, não há disposição para o pecado: "O temor do Senhor é odiar o mal; a soberba e a arrogância, o mau caminho e a boca perversa, eu odeio" (Provérbios 8.13, ACF).

O temor a Deus faz com que nem o menor pecado seja visto de forma casual. Não deveria ser o medo da punição o que nos impede de fazer coisas erradas, mas sim o temor ao Senhor. A Bíblia diz que é ele que nos leva a desviar do pecado: "Pela misericórdia e verdade a iniquidade é perdoada, e pelo temor do Senhor os homens se desviam do pecado" (Provérbios 16.6, ACF). Se está difícil se libertar de atitudes erradas em sua vida, reforce o seu temor a Deus, preencha os seus dias com atitudes santas e substitua os maus desejos pela vontade do Senhor.

Tiago escreveu: "Mas as pessoas são tentadas quando são atraídas e enganadas pelos seus próprios maus desejos" (Tiago 1.14, NTLH). Temer a Deus, portanto, é submeter nossa vontade à dele. É uma limpeza e uma purificação que devemos fazer todos os dias, jogando fora o que é nosso e nos enchendo com o que é do Eterno.

O pecado traz consequências graves para nossa vida e pode arruinar a saúde de qualquer pessoa. Quando Jesus curou o homem enfermo no tanque de Betesda, disse: "Olhe, você está curado. Não volte a pecar, para que algo pior não aconteça a você" (João 5.14). Já o apóstolo Paulo escreveu: "Pois o salário do pecado é a morte, mas o presente gratuito de Deus é a vida eterna, que temos em união com Cristo Jesus, o nosso Senhor" (Romanos 6.23, NTLH).

O pecado drena nossa energia e nos leva à morte, tanto espiritual quanto física. Quando pecamos, afastamo-nos de Deus e abrimos uma porta de entrada para a ação do Inimigo. Nem todas as doenças são consequência direta de pecados que cometemos, mas definitivamente temos sempre de nos ajustar e consertar. Pecamos diretamente contra nosso corpo quando não somos bons mordomos, como vimos no capítulo anterior.

Além disso, nosso coração, nossa boca e nossos pensamentos são frequentemente invadidos por coisas que não são de Deus, e isso polui o corpo. A Palavra de Deus sempre nos alerta quanto a esses desvios. Por exemplo:

> Meu filho, escute o que digo a você; preste atenção às minhas palavras. Nunca as perca de vista; guarde-as no fundo do coração, pois são vida para quem as encontra e *saúde para todo o seu ser*. Acima de tudo, guarde o seu coração, pois dele depende toda a sua vida. Afaste da sua boca as palavras perversas; fique longe dos seus lábios a maldade. Olhe sempre para a frente, mantenha o olhar fixo no que está adiante de você. Veja bem por onde anda, e os seus passos serão seguros. Não se desvie nem para a direita nem para a esquerda; afaste os seus pés da maldade. *(Provérbios 4.20-27, grifo da autora)*

Feche o dreno do pecado

Enquanto você faz coisas erradas, um "ralo" permanece aberto, e por ele escorrem sua vitalidade, sua saúde, sua energia e seu vigor. Não adianta buscar Saúde do Reino sem fechar esse dreno. A pergunta que surge é: como fechá-lo? A chave é o *arrependimento*. O temor leva você ao arrependimento sincero, que o leva a pedir perdão a Deus e mudar de comportamento.

Eu precisei pedir perdão a Deus por muitas coisas erradas que tinha feito, principalmente porque me afastei dele. O Espírito Santo me mostrou como meu relacionamento com Deus era superficial. Eu orava somente quando tinha algum problema e, muitas vezes, mesmo enfrentando dificuldades, eu não recorria a ele. Costumava falar com o Senhor cinco minutos por mês e tudo o que eu conversava com ele era: "Ajuda-me nisto; faze isso por mim ou livra-me de tal coisa".

Quando fiquei doente, busquei a cura em esoterismos e rituais que não eram de Deus, e isso só piorou a minha condição. Mas assim que o Espírito Santo me mostrou que eu estava seguindo por um caminho de pecado e ainda mentia, fofocava e tinha pensamentos que entristeciam o coração de Deus, fiquei tão envergonhada que queria abrir um buraco no chão para me esconder.

O constrangimento me levou à tristeza e ao arrependimento. Em prantos, pedi perdão a Deus por cada atitude errada que o Espírito Santo me revelou, e foi como se um peso enorme saísse das minhas costas. O desespero da dor e da doença pode nos levar a caminhos perigosos, e se você está percorrendo um deles agora, saiba que é tempo de se arrepender, voltar-se para Deus e tirar a carga pesada que suportou até hoje. Ore e peça perdão ao Senhor. Se você não tem clareza do que precisa se arrepender, peça ao Espírito Santo para lhe mostrar.

À medida que vier à sua mente tudo o que você fez ou faz de errado, peça perdão. Diga a Deus: "Perdoa-me por isso; eu me arrependo e decido não cometer mais esse erro". O Espírito Santo pode lhe revelar pecados como adultérios, brigas, fofocas, vícios, inveja, roubos, infrações à lei, falta de perdão, idolatrias, rituais esotéricos de que você participou, imoralidade sexual, injustiça cometida, preguiça e falta de fé.

Este é o seu momento de chorar aos pés do Senhor — só você e ele —, abrir sua boca, confessar pecados em voz alta e lhe pedir perdão, também em voz alta. Todos pecamos, mas Deus é fiel para nos perdoar. O apóstolo João escreveu: "Se dissermos que não temos pecado nenhum, a nós mesmos nos enganamos, e a verdade não está em nós. Se confessarmos os nossos pecados, ele é fiel e justo para nos perdoar os pecados e nos purificar de toda injustiça" (1João 1.8-9, ARA). Se você precisa pedir perdão a alguém que ofendeu, faça isso também.

Essa é a única forma de fechar o ralo. No início dói, constrange e incomoda, mas depois você sentirá a maior leveza da vida. O arrependimento o leva mais perto de conquistar a Saúde do Reino.

Muitos de nós vivemos pesados, sugados pelo pecado, mas Jesus morreu e levou sobre ele tudo isso. Nós só precisamos nos arrepender e seguir o exemplo de vida correta que Cristo deixou para nós. É hora de fazer a oração de um pecador aflito, assim como fez Davi:

> Senhor, não me repreendas no teu furor nem me disciplines na tua ira.
>
> Pois as tuas flechas me atravessaram, e a tua mão me atingiu.
>
> Por causa de tua ira, todo o meu corpo está doente; *não há saúde nos meus ossos por causa do meu pecado.*

Arrependa-se e feche o ralo que drena sua energia

As minhas culpas me afogam; são como um fardo pesado e insuportável.

Minhas feridas cheiram mal e supuram por causa da minha insensatez.

Estou encurvado e muitíssimo abatido; o dia todo saio vagueando e pranteando.

Estou ardendo em febre; todo o meu corpo está doente.

Sinto-me muito fraco e totalmente esmagado; meu coração geme de angústia.

Senhor, diante de ti estão todos os meus anseios; o meu suspiro não te é oculto.

Meu coração palpita, as forças me faltam; até a luz dos meus olhos se foi.

Meus amigos e companheiros me evitam por causa da doença que me aflige; ficam longe de mim os meus vizinhos.

Os que desejam matar-me preparam armadilhas, os que me querem prejudicar anunciam a minha ruína; passam o dia planejando traição.

Como um surdo, não ouço, como um mudo, não abro a boca.

Fiz-me como quem não ouve, e em cuja boca não há resposta.

Senhor, em ti espero; tu me responderás, ó Senhor meu Deus!

Pois eu disse: "Não permitas que eles se divirtam à minha custa, nem triunfem sobre mim quando eu tropeçar".

Estou a ponto de cair, e a minha dor está sempre comigo.

Confesso a minha culpa; em angústia estou por causa do meu pecado.

Meus inimigos, porém, são muitos e poderosos; é grande o número dos que me odeiam sem motivo.

Os que me retribuem o bem com o mal caluniam-me porque é o bem que procuro.

S<small>ENHOR</small>, não me abandones! Não fiques longe de mim, ó meu Deus!

Apressa-te a ajudar-me, S<small>ENHOR</small>, meu Salvador!
(Salmos 38.1-22, grifo da autora)

Arrependa-se e peça ajuda ao Senhor. Ele está pronto para perdoá-lo e socorrê-lo. Como Deus disse a Salomão, com referência ao povo de Israel:

[...] se meu povo, que se chama pelo meu nome, humilhar-se e orar, buscar minha presença e afastar-se de seus maus caminhos, eu os ouvirei dos céus, perdoarei seus pecados e restaurarei a sua terra. *(2Crônicas 7.14, NVT)*

Essa realidade é reafirmada por Davi em passagens como: Só ele cura os de coração quebrantado e cuida das suas feridas (Salmos 147.3) e

É ele que perdoa todos os seus pecados e cura todas as suas doenças, que resgata a sua vida da sepultura e o coroa de bondade e compaixão, que enche de bens a sua existência, de modo que a sua juventude se renova como a águia. *(Salmos 103.3-5)*

Deus cura aqueles que o temem e que se afastam do pecado, como disse aos hebreus em Mara durante sua peregrinação no deserto:

Se vocês derem atenção ao S<small>ENHOR</small>, o seu Deus, e fizerem o que ele aprova, se derem ouvidos aos seus mandamentos e obedecerem a todos os seus decretos, não trarei sobre vocês nenhuma das doenças que eu trouxe sobre os egípcios, pois eu sou o S<small>ENHOR</small> que os cura. *(Êxodo 15.26)*

Arrependa-se e feche o ralo que drena sua energia

Receba o perdão de Deus! Que todos os dias você possa receber esse renovo que ele tem para você.

Uma sugestão de oração

Senhor, eu reconheço a tua grandeza na minha vida e admito que cometi muitos erros que desagradaram o teu coração. Venho, agora, na tua presença, me humilhar e te pedir perdão. Não sei se a doença que estou enfrentando é consequência de um pecado que cometi, mas, se for, mostra-me, para que eu possa me arrepender e mudar de atitude. Espírito Santo de Deus, traze-me à memória tudo de que preciso pedir perdão e tudo o que eu preciso mudar e dá-me forças para fazer o que é certo.

Princípio 4

JEJUE

O jejum é poderoso para o seu crescimento espiritual e, de bônus, beneficia a saúde. Existem vários tipos de jejum relatados na Palavra de Deus. A Bíblia não traz uma receita única, e creio que Deus não estipulou somente uma maneira de jejuar, exatamente para não fazermos disso uma regra religiosa sem sentido.

Salmos 35.13 diz:

> Mas, quanto a mim, quando estavam enfermos, as minhas vestes eram o saco; *humilhava a minha alma com o jejum*, e a minha oração voltava para o meu seio. *(ACF, grifo da autora)*

Perceba que Davi usa a expressão "humilhar com o jejum". Isso revela que, para que você seja forte no espírito, seu corpo e sua alma precisam ser humilhados, e uma forma de fazer isso é *jejuar*.

Acredito que, se não humilharmos o corpo e a alma, é mais difícil desenvolvermos o espírito. Essas duas partes do ser tomam bastante do nosso tempo e chamam muito nossa atenção. É como se tivéssemos três filhos, dois deles gritassem o tempo todo e ocupassem tanto o nosso dia que, se não reservássemos um momento para cuidar do terceiro, esse nunca se desenvolveria.

O jejum é uma maneira de aquietar corpo e alma, que são teimosos e barulhentos, e prestar atenção à parte mais importante, porém mais silenciosa e, muitas vezes, esquecida, que é o nosso espírito. O incrível das coisas de Deus é que, quando damos prioridade para cuidar do espírito, ele fortalece nosso corpo, ou seja, nossa saúde (cf. Mateus 6.33; Provérbios 3.7-8). Humilhar o corpo e a alma dará a oportunidade de sua Saúde do Reino se desenvolver, porque, no final das contas, estará mais alinhado à vontade de Deus à medida que se tornar um ser mais espiritual do que carnal.

A maioria dos jejuns nos põe em abstinência de certo tipo de alimento por um período. E por que isso seria uma humilhação para o corpo e a alma? Porque você acaba humilhando a própria vontade de comer e tira a prioridade de atender ao desejo da alma, enquanto diz para o corpo: "Eu sei que você tem essa necessidade, mas eu não vou atendê-la neste momento". Em outras palavras, você põe o corpo e a alma no seu devido lugar, tira deles a prioridade de atender às suas vontades imediatas e põe o seu espírito no lugar ideal, acima de tudo, dominando, e como a real prioridade.

Você não imagina quanto isso é crucial para sua saúde! Uma pessoa controlada pelo corpo, além de ceder às tentações do pecado, só quer comer e dormir. Uma pessoa dominada pela alma vive em altos e baixos emocionais e pode, em um mesmo dia, se sentir feliz, irritada, triste, agoniada, empolgada e entediada — e isso quando essas emoções não vêm todas juntas e misturadas.

Enquanto você se deixar dominar pelo corpo e pela alma, será muito mais difícil alcançar o nível de saúde em abundância que Jesus comprou para você na cruz. Quando nos movemos pelo espírito, o fruto e os dons do Espírito se estabelecerão em nossa vida. Paulo afirmou que "o Espírito de Deus produz o amor, a alegria, a paz, a paciência, a delicadeza, a bondade, a fidelidade, a humildade e o domínio próprio" (Gálatas 5.22-23, NTLH). O que eu observo é que tanto eu quanto meu marido e muitos de meus alunos percebemos que o jejum nos ajuda a desenvolver o fruto do Espírito em nós. E eu nem preciso dizer quanto é fundamental para a Saúde do Reino sermos mais felizes, termos paz, amor e tudo que o Espírito florescerá em nós.

Vamos falar mais sobre isso no capítulo que trata do Princípio 6, que diz como precisamos cuidar da alma para termos boa saúde, mas, por enquanto, lembre-se de que ela não pode reinar em sua vida e que o jejum é um recurso para dominá-la. Além disso, há o benefício mais importante, que é o desenvolvimento espiritual. E Deus é tão lindo, que, com o jejum, também nos concede um bônus. E digo "bônus" porque a sua motivação para jejuar precisa estar concentrada em ter mais intimidade com Deus e crescer espiritualmente. Esse bônus é *estimular a cura física em nossas células*.

Quando jejuamos, verificamos benefícios físicos imediatos. O corpo faz uma limpeza profunda, como um detox celular potente, que nos limpa e revigora. O jejum pode auxiliar na regulação dos níveis de insulina, promovendo uma maior sensibilidade a ela e, consequentemente, ajudando a controlar os níveis de glicose no sangue. Além disso, o jejum pode desencadear a autofagia, um processo celular de limpeza e reciclagem que ajuda a eliminar componentes celulares danificados. Isso pode ter implicações na longevidade e na saúde geral, uma vez que a eliminação de células defeituosas está associada a uma menor incidência de doenças crônicas.

Por essa razão, os jejuns ficaram tão famosos nos últimos anos, como o jejum intermitente.

A diferença é que o jejum espiritual é extremamente mais poderoso, já que os benefícios corporais acabam por se tornar um bônus diante da presença mais próxima de Deus e do desenvolvimento do espírito. Antes de falar dos tipos de jejum, precisamos analisar alguns pontos que todos eles precisam ter em comum.

Intenção

Isso é o mais importante. Sua intenção ao jejuar precisa ser desenvolver o espírito e ter mais intimidade com Deus. Certa vez, uma aluna me perguntou: "Eu faço jejum todos os dias, só me alimento depois do meio-dia, já que sigo a dieta intermitente. Qual seria a diferença?". E eu respondi: "A diferença está na intenção". Consagre o seu jejum ao Senhor, e ele o receberá.

Jesus ensinou:

> Mas você, quando jejuar, lave o rosto e penteie o cabelo para os outros não saberem que você está jejuando. E somente o seu Pai, que não pode ser visto, saberá que você está jejuando. E o seu Pai, que vê o que você faz em segredo, lhe dará a recompensa. *(Marcos 6.17-18, NTLH)*

Não faça jejum para satisfazer seu ego, não faça para emagrecer, não faça para mostrar aos outros. Deus verá a real intenção do seu coração, então agrade a ele, que o recompensará.

Jejum e oração

Ore antes, durante e depois do jejum e aproveite para intensificar a sua comunhão e o seu tempo de qualidade com Deus.

Jejue

Passe mais tempo orando e conversando com o Pai enquanto jejua. Cristo disse aos discípulos que algumas batalhas só vencemos com oração e jejum, então, quando um vem acompanhado do outro, o poder é maior.

Para explicar isso, vamos ler a passagem em que Jesus explicou que determinada espécie de demônios só poderia ser expulsa com essas armas espirituais:

> Quando chegaram onde estava a multidão, um homem aproximou-se de Jesus, ajoelhou-se diante dele e disse: "Senhor, tem misericórdia do meu filho. Ele tem ataques e está sofrendo muito. Muitas vezes cai no fogo ou na água. Eu o trouxe aos teus discípulos, mas eles não puderam curá-lo". Respondeu Jesus: "Ó geração incrédula e perversa, até quando estarei com vocês? Até quando terei que suportá-los? Tragam-me o menino". Jesus repreendeu o demônio; este saiu do menino que, daquele momento em diante, ficou curado.
>
> Então os discípulos aproximaram-se de Jesus em particular e perguntaram: "Por que não conseguimos expulsá-lo?" Ele respondeu: "Porque a fé que vocês têm é pequena. Eu asseguro que, se vocês tiverem fé do tamanho de um grão de mostarda, poderão dizer a este monte: 'Vá daqui para lá', e ele irá. Nada será impossível para vocês. Mas esta espécie *só sai pela oração e pelo jejum*". *(Mateus 17.14-21, grifo da autora)*

A enfermidade na sua vida pode ser uma dessas batalhas, e você pode estar perdendo porque ainda não pôs o jejum em prática. Eu percebi, depois de ministrar dezenas de aulas on-line, que, sempre que eu abria as inscrições para uma turma nova, eu adoecia. Ficava de cama, às vezes com sintomas de gripe, outras vezes, com febre e indisposição. No início eu reforçava as doses de Vitamina C, tomava chás e procurava relaxar do estresse do trabalho, mas nada disso resolvia de vez o problema, somente amenizava.

Foi quando entendi que o que eu sentia no corpo era consequência da batalha espiritual que eu enfrentava todas as vezes que alcançava mais pessoas e ajudava a transformar a saúde delas. Por isso, mudei a estratégia e iniciei uma campanha de sete dias de um jejum de doze horas (que vou explicar mais à frente) e oração, uma semana antes da abertura das inscrições de todas as turmas. E Deus é tão lindo, que desde então não fico mais doente.

O Senhor me ensinou, no campo de batalha, a estratégia de defesa que mais funciona até hoje para mim. Afinal, a Palavra diz que a nossa luta é espiritual, e para vencê-la precisamos de armas poderosas em Deus e escudos espirituais, como escreveu Paulo:

> É claro que somos humanos, mas não lutamos por motivos humanos. As armas que usamos na nossa luta não são do mundo; são armas poderosas de Deus, capazes de destruir fortalezas. *(2Coríntios 10.3-4, NTLH)*

Acredite: jejuar e orar são atitudes que o protegerão muito mais do que você imagina.

Peça e siga a orientação do Espírito Santo

Diante de vários tipos de jejum, o que aconselho é conversar com o Espírito Santo e pedir que ele o direcione para qual praticar. Há momentos em que ele vai lhe dar outras direções, e o melhor a fazer é ouvi-lo e obedecer-lhe. Não precisa começar com algo longo, a não ser que o Espírito o tenha conduzido a isso.

Assim como treinamos os músculos na academia e vamos aumentando os pesos aos poucos, o seu "músculo espiritual" também pode ser desenvolvido dessa forma. Talvez passe pela sua cabeça que o jejum não é para você, devido a uma condição comprometida de saúde. Se esse for o seu caso, ore, entre em intimidade com Deus e permita que ele o oriente. As coisas de Deus são maravilhosas e misteriosas e podem ir na contramão de tudo o que você já ouviu sobre poder ou não jejuar.

O importante é não jejuar só uma vez, ou jejuar somente quando está enfrentando algum problema, mas tornar a prática do jejum parte do seu estilo de vida, para desenvolver o seu espírito de forma contínua.

Eu e meu marido costumamos jejuar pelo menos uma semana no mês, e é incrível como Deus se revela para nós nesses períodos.

Tipos de jejum relatados na Bíblia

Para que você saiba que tipo de jejum praticar, listo a seguir alguns deles, conforme descritos na Bíblia.

- Abstinência de alimento e água, praticada por Moisés (cf. Êxodo 34.28) e Jesus (cf. Mateus 4.1-2), por vários dias seguidos.
- Jejum feito por toda uma nação. Ester, suas criadas, Mardoqueu e todos os judeus de Susã passaram três dias sem comer nem beber nada (cf. Ester 4.15-17). Nem sempre temos de jejuar sozinhos. Fazer campanhas de jejum em favor de uma causa junto com outra pessoa pode ser muito poderoso.
- Jejum de Daniel. Aqui, pode ser de dois tipos: o primeiro, somente com legumes e água (cf. Daniel 1.12). O segundo, abstendo-se de alimentos saborosos (cf. Daniel 10.3).
- Jejum de 12 a 15 horas. A proposta é abster-se de alimento sólido por esse período.

Eu comecei com esse último tipo, pois creio ser o mais simples para começar. De fato, eu janto por volta das sete e meia da noite e, depois, só vou me alimentar ao meio-dia do dia seguinte. Esse jejum pode ser somente com água ou sucos (líquido).

Também já experienciei o jejum de Daniel, com legumes, frutas e cereais por 21 dias. Fiz, ainda, o de 48 horas sem alimentos, somente com água, que exigiu preparo de minha parte e de minha família: tirei da cozinha todos os alimentos que estavam à vista e coloquei um papel escrito "Jesus", bem grande, na porta da geladeira.

Hoje, vejo que realmente foi bem mais tranquilo do que eu imaginei. Depois que passa a fase de querer comer tudo, o corpo e a alma se acalmam e a conexão com Deus se intensifica. As primeiras 24 horas são as mais desafiadoras, mas, depois, o vigor retorna, a mente fica mais focada e sentimos mais a presença de Deus.

Meu marido faz jejuns mais prolongados, de sete dias, somente com água e sucos leves, e tem experiências lindas com Deus. O mais precioso é aproveitar esse período para intensificar os momentos íntimos com o Senhor.

Entre na presença do Eterno, faça o bem, entre no secreto com o Pai e ore mais. Independentemente do tipo de jejum que você vai fazer, leve-o a sério, porque ele vai mudar a sua vida com Deus e certamente o fará ter um corpo mais saudável.

Que você possa despertar para começar quanto antes a viver essa nova fase de intimidade com o Todo-Poderoso. Oro para que o Espírito Santo o conduza, fortaleça e surpreenda.

Pondo o jejum em prática

1. Ore e peça ao Espírito Santo a orientação sobre qual tipo de jejum você deve fazer e por quanto tempo.
2. Caso ainda tenha alguma dificuldade de entender a mensagem do Espírito Santo, inicie pelo jejum com menor duração, por exemplo, o de 12 a 15 horas, e continue em oração, pedindo orientação a Deus.
3. Escolha um dia para começar, marque um compromisso com o Senhor e inicie. Lembre-se de que parece mais difícil do que realmente é. Domine a sua mente e persevere.

Princípio 5

CEIE

Não sei você, mas eu já participei de muitas celebrações da ceia do Senhor na igreja sem entender o real significado dela e já pedi perdão a Deus por isso. Eu pegava o pão e o suco quando me entregavam, mas, na minha mente, aquilo era só um ritual da igreja. Porém, quando eu entendi a base espiritual da ceia, isso virou uma chave para mim e se tornou algo muito poderoso, até mesmo para fortalecer a minha saúde. Oro que essa chave lhe seja entregue hoje, mas, para isso, você vai precisar abrir o seu coração para recebê-la.

Muitas vezes, quando fazemos algo sempre da mesma maneira desde crianças, aquilo se torna o "normal", e quando alguém nos apresenta algo diferente, criamos resistências e barreiras. Hoje mesmo, sentada à mesa do almoço com meu marido, ele me disse: "Nossa, eu gosto muito de feijão preto, porque a minha avó fazia todo dia para mim". Eu perguntei: "Mas ela não fazia o feijão normal também?". Eu me referia ao feijão carioca, que, para mim, é o "normal", já que, na minha casa de origem, todo dia se fazia esse tipo de feijão. Foi quando ele me respondeu: "Não entendi, para mim o feijão preto é o normal".

SAÚDE DO REINO

Talvez, para você, o jeito "normal" de celebrar a ceia seja todo primeiro domingo do mês, todo segundo sábado do mês ou, até mesmo, somente uma vez por ano — e somente na igreja. Mas me permita lhe apresentar a ceia de forma diferente: como uma arma espiritual. Se você a entende dessa forma, compartilhar o sangue e o corpo de Cristo deixará de ser somente um ritual e se tornará um momento profundo de cura e de grande significado espiritual em sua vida.

Quando Jesus realizou a última ceia com os discípulos, disse:

> Como tenho desejado comer este jantar da Páscoa com vocês, antes do meu sofrimento! Pois eu digo a vocês que nunca comerei este jantar até que eu coma o verdadeiro jantar que haverá no Reino de Deus.
>
> Então Jesus pegou o cálice de vinho, deu graças a Deus e disse: — Peguem isto e repartam entre vocês. Pois eu afirmo a vocês que nunca mais beberei deste vinho até que chegue o Reino de Deus.
>
> Depois pegou o pão e deu graças a Deus. Em seguida partiu o pão e o deu aos apóstolos, dizendo: — Isto é o meu corpo que é entregue em favor de vocês. Façam isto em memória de mim.
>
> Depois do jantar, do mesmo modo deu a eles o cálice de vinho, dizendo: — Este cálice é a nova aliança feita por Deus com o seu povo, aliança que é garantida pelo meu sangue, derramado em favor de vocês. *(Lucas 22.15-20, NTLH)*

Jesus estava antecipando o que aconteceria na sua morte: um sacrifício de corpo e sangue na cruz por nós. A morte e a ressurreição de Cristo foram o plano perfeito de Deus para nos salvar. Antes de Jesus, o homem não tinha como estar na presença de Deus sem ser por meio de um sacerdote e um sacrifício como propiciação por seus pecados.

Jesus nos abriu a conexão com Deus. Ele se doou em nosso favor para que pudéssemos conversar com o Pai, receber o seu Espírito Santo e sermos salvos. Para isso, só precisamos crer e confessar que Jesus é nosso Senhor e Salvador (cf. Romanos 10.9).

Antes de ser crucificado, o Mestre ceia com seus discípulos e os orienta a fazer a ceia em memória dele, ou seja, para que se lembrem dele e do seu sacrifício de amor. Isso talvez você já saiba, mas preste atenção ao que ele acrescenta:

> Eu digo a verdade: Se vocês não comerem a carne do Filho do homem e não beberem o seu sangue, não terão vida em si mesmos. Todo aquele que come a minha carne e bebe o meu sangue tem a vida eterna, e eu o ressuscitarei no último dia. Pois a minha carne é verdadeira comida e o meu sangue é verdadeira bebida. Todo aquele que come a minha carne e bebe o meu sangue permanece em mim e eu nele. Da mesma forma como o Pai que vive me enviou e eu vivo por causa do Pai, assim aquele que se alimenta de mim viverá por minha causa. *(João 6.53-57)*

A ceia é um memorial que Jesus nos deixou para nossa comunhão, para vivermos o Reino e nos unirmos ao Pai. Quando ceamos, temos um momento de comunhão com ele, uma ligação espiritual, que nos fortalece e limpa.

Quando Jesus se refere a comer ou beber algo de natureza espiritual, está falando sobre a incorporação desse elemento em nossa existência. Isso implica torná-lo parte integral de nossa vida e essência, preenchendo e impregnando nosso ser, abrangendo tanto o espírito quanto a alma e o corpo.

Existem encontros especiais com o Pai à nossa espera, revelações que o Senhor reservou exclusivamente para nós, as quais serão desvendadas somente mediante a nutrição espiritual que Jesus é capaz de proporcionar. Assim, a ação de beber e comer simboliza algo real no âmbito espiritual, representando atos que conectam o mundo espiritual ao mundo material.

Depois da morte e ressurreição de Jesus, a ceia continuou sendo realizada com perseverança, como vemos no relato de Lucas:

> E perseveravam na doutrina dos apóstolos, e na comunhão, e no partir do pão, e nas orações. [...] E, perseverando unânimes todos os dias no templo, e partindo o pão em casa, comiam juntos com alegria e singeleza de coração, louvando a Deus, e caindo na graça de todo o povo. E todos os dias acrescentava o Senhor à igreja aqueles que se haviam de salvar.
> *(Atos 2.42, 46-47, ACF)*

Perceba que em nenhum momento Jesus nos limita a fazer a ceia em um dia específico da semana, ou em um lugar físico específico. Muito menos com um tipo determinado de pão ou vinho. E, veja, cear na igreja todo primeiro domingo do mês não é errado, de forma alguma. Só não é a única forma e o único momento para desfrutarmos dessa comunhão poderosa.

Todos os cristãos são chamados para cear, estar em comunhão com outros irmãos e unir-se ao Pai por meio de Cristo. Isso, porque todos somos pecadores e devemos olhar para nós mesmos antes de participar da ceia. Paulo fala sobre isso:

> Porque cada vez que vocês comem desse pão e bebem desse cálice, anunciam a morte do Senhor até que ele venha. Assim, quem come do pão ou bebe do cálice do Senhor indignamente é culpado de pecar contra o corpo e o sangue do Senhor.
>
> Portanto, examinem-se antes de comer do pão e beber do cálice, pois, se comem do pão ou bebem do cálice sem honrar o corpo de Cristo, comem e bebem julgamento contra si mesmos.

Ceie

> Por isso muitos de vocês estão fracos e doentes e alguns até adormeceram. Se examinássemos a nós mesmos, não seríamos julgados dessa maneira. *(1Coríntios 11.26-31, NVT)*

É por essa razão que devemos pedir perdão pelos nossos pecados e entrarmos em um momento de arrependimento antes de participarmos da ceia. Ela nos permite estar em novas dimensões espirituais com Deus, e o arrependimento nos possibilita entrar nessa dimensão especial, transformando nosso entendimento e nossa saúde física. Percebe quanto isso é poderoso?

Uma comunhão dessas, após um momento de arrependimento, nos une ao Pai, por meio de Cristo, relembrando o sacrifício que ele fez por nós, e ainda nos alimentando do corpo e do sangue dele, ao comermos o pão e bebermos do cálice.

É por isso que o Inimigo da nossa alma não quer que entendamos essa realidade, nem que participemos disso tudo, colocando em nossa mente que a ceia do Senhor é apenas um ritual sem sentido ou que não temos o direito de participar dele.

As crianças só passam a participar quando atingem uma idade em que realmente entendem o sacrifício de Jesus e já têm entendimento e consciência da grandeza do ato de cear. Dito isso, todos os cristãos podem e devem cear. Repito: todos.

Participação da ceia
Muitas vezes, quando realizamos a ceia em nossa igreja, percebo que algumas pessoas não participam e ficam constrangidas. Ao terminar o culto, como pastora, sempre faço questão de conversar com elas e entender o motivo, e quase sempre ouço: "Eu sou pecador, não posso participar", "eu não sou batizado" ou qualquer outro tipo de pensamento confuso

que o Inimigo tenha sugerido na mente delas. Isso é muito perigoso, porque, na medida em que você não participa da ceia por achar que não pode, mais distante fica da comunhão, e quanto mais distante, menos você acha que pode participar.

Nesses casos, sempre respondo: "Todos somos pecadores, mas todos os que aceitamos o sacrifício de Cristo somos justificados pelo sangue de Jesus e, por meio dele, podemos acessar o Pai e desfrutar da comunhão da ceia". Se apenas os perfeitos pudessem cear, ninguém participaria, não é mesmo?

Muitos de nós ficam presos nessas armadilhas do Inimigo e nos privamos da herança que Jesus nos deixou – mas eu creio que, hoje, ele vai nos libertar de todas elas. Não precisamos esperar um dia determinado pelo calendário da igreja para acessar essa poderosa dimensão com Deus. Eu e meu marido participamos da ceia na igreja todos os meses, mas também fazemos ceia em casa. Você também pode fazer, e isso não invalida a comunhão na igreja. Eu recomendo que você faça as duas coisas.

Nós, aqui em casa, pegamos um pedaço de pão e um pouco de suco (já que não consumimos bebida alcoólica), oramos a Deus pedindo perdão pelos nossos pecados, glorificamos a Jesus pelo sacrifício na cruz, declaramos que tomamos posse da herança de saúde que ele colocou à nossa disposição e comemos do pão e bebemos do suco, orando com fervor pela nossa vida. É um momento maravilhoso! Já fizemos até campanhas de ceia, juntos, em casa, durante sete dias. Uma campanha envolve um período determinado de ceia associado a propósitos específicos. E, na maioria das vezes, essa campanha é específica para o propósito de fortalecer a nossa saúde.

Jesus levou sobre ele todas as nossas enfermidades e pelo seu sacrifício fomos curados (cf. Isaías 53). Quando declaramos isso durante a ceia, estamos tomando posse da saúde abundante do Reino que ele tem para nós. Ao pegar o pão, nós afirmamos que aquilo não é mais um pedaço de cereal assado, mas, sim, o corpo de Cristo. E quando comemos o corpo, aceitamos o sacrifício de amor que ele fez por nós e dizemos que ele é nosso principal alimento: Cristo é o pão da Vida, e somos dependentes dele. Ele é o pão que nos satisfaz. Assim, nosso espírito se une a Cristo e nós nos unimos ao "Corpo" de Cristo, que é a Igreja. Eu peço a Deus que me conecte com outras pessoas que também vivem dependentes dele.

Eu também peço em oração, enquanto como o pão, que Jesus troque as minhas células pelas dele. Que troque os órgãos que estão fracos ou enfermos pelos órgãos perfeitos dele e que restaure todas as minhas células. É uma maneira muito particular que eu utilizo para visualizar toda a restauração do meu corpo.

Com o suco em mãos, oramos e declaramos que não é mais o fruto da videira, e sim o sangue de Jesus. Ao tomarmos do cálice, imaginamos nos enchendo do poder de Cristo, do amor dele, assim como da coragem e humildade de Jesus. No momento em que bebo do sangue, eu o sinto correndo em minhas veias, protegendo-me e restaurando cada parte do meu corpo; preenchendo-o com poder, força e vigor; avivando meus órgãos e fazendo brilhar em meu sangue a sua maravilhosa luz.

Entende como não é somente um ritual? É muito mais profundo que isso, é um ato espiritual, poderoso demais, intenso e de cura. Cear em casa é estabelecer essa dimensão com Deus no lar, e ainda a comunhão e a reconciliação.

Antes de cear, peça perdão, não somente a Deus, mas também para as pessoas da sua convivência. Se estiver na igreja, reconcilie-se com seus irmãos em Cristo. Se estiver em casa, abrace os familiares e diga que os ama muito. Deus está na união e na comunhão, como ele afirmou: "Porque, onde estiverem dois ou três reunidos em meu nome, aí estou eu no meio deles" (Mateus 18.20, ACF).

Lembra-se de que eu comecei este capítulo dizendo que a ceia era também uma arma espiritual? Entenda que, alimentando-nos do corpo de Jesus e abastecendo-nos do sangue dele, nos tornamos muito mais protegidos para enfrentar as batalhas espirituais de todos os dias. Quando eu me uno ao Pai, nada é páreo para mim, e nenhum ataque contra a minha vida ou contra a minha saúde prosperará.

Cear é um dos princípios para receber a Saúde do Reino que você tanto busca e clama. Receba essa chave. Jesus não o limitou; portanto, não se prive de participar dessa poderosa comunhão com ele.

Para refletir

1. Em que momentos posso participar da ceia? A igreja que eu frequento oferece a ceia regularmente? Se sim, como posso me programar para estar presente neste dia?

2. Caso tenha sentido em seu coração tomar a ceia em casa com a família, pense em qual seria o melhor dia para essa comunhão e converse com seus parentes.

Princípio 6

CUIDE DA SUA ALMA

A Bíblia nos traz muitas correlações entre a saúde física e a saúde da alma (mental/emocional) (cf. Provérbios 17.22; 14.30), portanto precisamos cuidar dessa parte tão importante do nosso ser. Relembrando, a alma é a parte imaterial e individualizada de uma pessoa, que inclui a mente, as emoções e a vontade. É a casa da personalidade e da consciência individual. A alma é responsável por processos como pensamento, a tomada de decisões, a experiência emocional e a expressão da vontade. Não que o espírito também não pense, sinta e decida, lembrando que as três partes são interconectadas.

Das três partes, corpo, alma e espírito, o primeiro a gente enxerga e toca, ou seja, é visível. Mas os dois últimos são invisíveis, e às vezes é difícil entendermos que o corpo não funciona bem sem que esses elementos invisíveis também estejam em bom estado.

A medicina atual e a maioria dos médicos têm dificuldade de cuidar daquilo que é invisível aos olhos. A alma é complexa, e cuidar dela vai muito além de medicações antidepressivas, ansiolíticos e terapias. Ter uma alma saudável é essencial para um corpo saudável.

SAÚDE DO REINO

Veja como o livro de Provérbios cita uma ligação muito íntima entre o que sentimos (como está o nosso coração) e a nossa saúde corporal: "O coração bem disposto é remédio eficiente, mas o espírito oprimido resseca os ossos" (Provérbios 17.22); e "O coração em paz dá vida ao corpo, mas a inveja apodrece os ossos" (Provérbios 14.30).

Controlar o que sentimos e o que pensamos é uma chave muito importante para conquistar a Saúde do Reino. Uma mente doente nos leva a uma vida dominada pelas emoções, e é como se vivêssemos em uma montanha-russa, cheia de altos e baixos que acabam com a nossa imunidade, o nosso equilíbrio hormonal e a nossa energia.

Outra passagem bíblica que nos mostra essa relação entre o estado emocional e a saúde está em Salmos 31.9-10:

> Misericórdia, SENHOR! Estou em desespero! A tristeza me consome a vista, o vigor e o apetite. Minha vida é consumida pela angústia, e os meus anos pelo gemido; minha aflição esgota as minhas forças, e os meus ossos se enfraquecem.

Perceba como o salmista relaciona o desespero e a angústia com problemas visuais, ósseos e de vitalidade.

Eu, muitas vezes, já percebi sintomas no corpo por causa de algo emocional que eu estava vivendo e acredito que você também já deve ter notado que, quando estamos passando por momentos difíceis, o corpo é um dos primeiros a sentir os resultados. Recentemente, eu estava sentindo muitos sintomas de refluxo, com ardência no estômago e azia. Minha alimentação estava bastante saudável e diariamente eu fazia exercícios físicos e praticava minhas disciplinas espirituais. Certa manhã, eu entrei em oração e perguntei para o Espírito Santo: "Por que eu estou com esses sintomas? Estou me cuidando bem e em comunhão contigo... O que está acontecendo?". E ele me respondeu: "É ansiedade. Você está assim porque está ansiosa e preocupada". Então perguntei: "E como eu resolvo essa ansiedade?". Ele me disse: "Confia, filha. Entrega e confia em mim". Naquele momento, eu me arrependi do que estava sentindo, pedi perdão por sentir aquela ansiedade, fiz um exercício de entregar todos os problemas a ele e, na semana seguinte, o refluxo passou completamente. Perceba que a fonte da preocupação não mudou e o problema continuava lá, mas a maneira como passei a reagir às questões que me afligiam mudou.

O que o Espírito Santo me trouxe nesse dia foi a cura para a ansiedade, que até está na Bíblia: "Não andem ansiosos por coisa alguma, mas em tudo, pela oração e súplicas, e com ação de graças, apresentem seus pedidos a Deus" (Filipenses 4.6). Quando a Palavra diz para apresentarmos nossos pedidos ao Senhor, com orações e já agradecendo, isso nos indica que, para não vivermos com ansiedade e preocupação, precisamos confiar mais nele.

De fato, o turbilhão da vida moderna, a preocupação, a ansiedade e o estresse crônico tornaram-se um desafio constante. Seja devido às demandas profissionais, às preocupações financeiras ou às responsabilidades familiares, muitos de nós enfrentam níveis persistentes de estresse. O que frequentemente subestimamos, no entanto, é o impacto devastador que o estresse crônico pode ter no corpo e na saúde física.

Para entender melhor como seu corpo reage ao estresse, você precisa conhecer o que a ciência chama de Reação de Luta ou Fuga. É uma resposta fisiológica ativada quando percebemos uma ameaça. Imagine que você se deparou com um leão. O cérebro envia um sinal para o corpo liberar hormônios, a fim de que você lute ou escape do predador.

Essa cascata de eventos desencadeia uma série de mudanças no corpo, preparando-o para reagir de maneira eficaz diante do perigo iminente. O coração começa a bater mais rápido, para aumentar o fornecimento de oxigênio aos músculos, que ficam tensos e prontos para a ação. A respiração se torna mais rápida e superficial, para melhorar o aporte de oxigênio, enquanto o sistema digestivo é temporariamente desativado, já que não é uma prioridade imediata em uma situação de luta ou fuga. A pupila se dilata, para permitir maior entrada de luz nos olhos e favorecer uma análise melhor do caminho de fuga, o que torna a visão mais embaçada para enxergar detalhes.

Supondo que você saia com vida dessa situação, depois de lutar ou fugir, seu corpo libera toda essa adrenalina acumulada e tudo volta ao normal. O problema é que nosso corpo desencadeia essa mesma reação diante de outros "leões" que enfrentamos diariamente. Na verdade, nosso sistema nervoso não sabe diferenciar se o leão que estamos enfrentando é realmente o felino ou uma situação estressante, como uma discussão acalorada, um prazo apertado, uma enfermidade, um problema financeiro, uma questão no casamento ou tantos outros desafios. Isso quer dizer que tudo o que o preocupa ou estressa também tem o potencial de desregular as batidas do coração, alterar a pressão arterial, tornar a respiração mais superficial e deixar a digestão lenta e a visão embaçada.

Talvez agora você entenda por que vive sentindo cansaço, dores no corpo, pés e mãos frios, falta de ar e baixa energia. Estudos científicos têm lançado luz sobre a relação entre estresse crônico, inflamação e doenças cardíacas e metabólicas. A exposição prolongada ao cortisol elevado pode levar a alterações nos vasos sanguíneos, acúmulo de gordura e resistência insulínica, aumentando o risco de hipertensão arterial, obesidade e diabetes. Além disso, o estresse pode desencadear comportamentos prejudiciais à saúde, como a adoção de dietas não saudáveis, falta de exercício e abuso de substâncias ilícitas, todos eles contribuindo para mais e mais doenças.

Depois de décadas atendendo pessoas com problemas visuais e corporais, afirmo que todo problema corporal das pessoas que já ajudei tinha uma raiz emocional e espiritual. Já cuidei de pessoas que ficaram cegas após eventos traumáticos. Mas lhe digo que muito mais perigoso que perder a visão física é perder a visão espiritual.

Quando estamos na cova dos leões cercados de problemas e preocupações de todos os lados, é difícil termos uma visão positiva do futuro. No buraco é mais difícil enxergar os planos de Deus. Quando perdemos a visão espiritual, perdemos a esperança, e os nossos sonhos morrem. Provérbios diz que a falta de esperança e o desânimo podem nos tirar a vida: "O espírito do homem o sustenta na doença, mas, o espírito deprimido, quem o levantará?" (Provérbios 18.14). Na versão NTLH, o texto diz assim: "A vontade de viver mantém a vida do doente, mas, se ele desanima, não existe mais esperança".

A verdade é que não adianta lutar com os leões ou fugir deles, pois estarão ao nosso redor nos amedrontando todos os dias. A única saída para ter uma alma saudável é confiar em Deus e saber que ele fecha a boca dos leões e nos protege de todo perigo. A solução está em entregar o controle e viver a paz que vem dele: "E a paz de Deus, que excede todo o entendimento, guardará o coração e a mente de vocês em Cristo Jesus" (Filipenses 4.7).

A Bíblia nos relata que o profeta Daniel encarou leões de verdade dentro da cova e enfrentou muitos outros desafios.

Ele foi levado muito novo para a Babilônia e, na terra onde muitos pecavam e adoravam outros deuses, ele não se deixou contaminar, mas continuou fiel ao verdadeiro Deus. A inteligência, a sabedoria e os dons que o Senhor concedeu àquele homem fizeram com que ele interpretasse sonhos e mistérios para os reis, e isso o levou a ocupar altos cargos no reino.

Os reis passaram, mas Daniel permaneceu sempre em altas posições, e isso causou muita inveja e armações contra ele. Uma dessas perseguições levou a uma sentença de morte para o profeta na cova dos leões:

> Então o rei ordenou que trouxessem a Daniel, e lançaram-no na cova dos leões. E, falando o rei, disse a Daniel: O teu Deus, a quem tu continuamente serves, ele te livrará. E foi trazida uma pedra e posta sobre a boca da cova; e o rei a selou com o seu anel e com o anel dos seus senhores, para que não se mudasse a sentença acerca de Daniel. *(Daniel 6.16-17, ACF)*

Estudiosos estimam que Daniel foi para a cova com aproximadamente 85 anos. Ele poderia ter questionado: "Poxa, Deus, já passei por tanta coisa, estou aqui na Babilônia já faz tanto tempo, sou obediente, oro três vezes ao dia, não fiz nada de errado, então por que isso está acontecendo comigo a esta altura da minha vida?". Muitas vezes, passamos por situações em que fazemos essas perguntas para Deus, mas a verdade é que não sabemos todos os planos mais altos que ele tem para nós. O que parecia ser o fim para Daniel se tornou um dos maiores livramentos registrados na Bíblia, e ainda levou o rei da época a decretar:

> […[em todo o domínio do meu reino os homens tremam e temam perante o Deus de Daniel; porque ele é o Deus vivo e

que permanece para sempre, e o seu reino não se pode destruir, e o seu domínio durará até o fim. Ele salva, livra, e opera sinais e maravilhas no céu e na terra; ele salvou e livrou Daniel do poder dos leões. *(Daniel 6.25-27, ACF)*

Entenda que nada é capaz de apagar o brilho que Deus gera em nossa vida. Nenhuma armação consegue derrubar aqueles que o Senhor levantou. Nenhum diagnóstico ou enfermidade pode contra aqueles que recebem o favor divino. Nenhum problema é maior que o nosso Deus, e ele quer abrir a nossa visão para vermos o agir dele, mesmo quando ainda estamos dentro da cova da doença.

Daniel não viu só os leões, ele enxergou o agir do Todo-Poderoso e conseguiu ver o anjo fechando a boca daquelas feras: "O meu Deus enviou o seu anjo, e fechou a boca dos leões, para que não me fizessem dano" (Daniel 6.22, ACF). Que você possa enxergar agora um anjo do Senhor fechando a boca de todos os leões que tentam apavorá-lo, porque quem tem vida com Deus não é devorado pelos leões da vida.

Decida ter uma vida com Deus. Mais oração e maior intimidade vão fortalecê-lo para enfrentar toda e qualquer batalha na mente e curar feridas na alma. Desenvolver o espírito é a solução para cuidar da alma. Pessoas que tentam cuidar de problemas emocionais e mentais sem primeiro estarem mais próximas de Deus e da Palavra dele podem se tornar escravas de medicamentos controlados para o resto da vida.

Independentemente do tamanho da angústia que exista, nossa mente precisa estar alinhada com a de Cristo, o que significa que precisamos dominar todo pensamento humano e fazer com que ele obedeça a Jesus. A orientação de "levar cativo todos os nossos pensamentos para obedecer a Cristo" (cf. 2Coríntios 10.5) implica gerenciar os pensamentos. Isso inclui evitar aqueles que são inadequados e concentrar-se nos positivos e construtivos.

É fundamental alinharmos nossos pensamentos com os princípios de Deus, mas isso é um processo que requer tempo e dedicação ao relacionamento com o Senhor (vamos falar disso no Princípio 10). Não desista, pois, com perseverança, gradualmente você verá mudanças acontecerem em sua vida. Trata-se de um processo de transformação, de atribuir um significado renovado à vida, de adotar uma perspectiva diferente do mundo, agora moldada pelo paradigma do Reino de Jesus Cristo. Isso oferece a oportunidade de vivenciarmos a perfeita vontade de Deus. Como Paulo escreveu aos romanos:

> E não vos conformeis com este mundo, mas transformai-vos pela renovação da vossa mente, para que experimenteis qual seja a boa, agradável e perfeita vontade de Deus.
> *(Romanos 12.2, ARC)*

Todos somos convidados a encarar esse desafio de renovação e transformação. O estado da nossa alma se revela pelas atitudes, portanto a forma como reagimos às situações é mais importante do que as situações em si. Não é fácil, mas temos de renovar a mente, com mais resiliência.

Paulo escreveu: "Tudo posso naquele que me fortalece" (Filipenses 4.13). Mas gostaria de chamar sua atenção para o contexto anterior dessa passagem: "Sei estar abatido, e sei também ter abundância; em toda a maneira, e em todas as coisas estou instruído, tanto a ter fartura, como a ter fome; tanto a ter abundância, como a padecer necessidade. Tudo posso naquele que me fortalece" (Filipenses 4.12-13, ACF). Na versão NTLH, o texto está assim:

Cuide da sua alma

> Sei o que é estar necessitado e sei também o que é ter mais do que é preciso. Aprendi o segredo de me sentir contente em todo lugar e em qualquer situação, quer esteja alimentado ou com fome, quer tenha muito ou tenha pouco. Com a força que Cristo me dá, posso enfrentar qualquer situação.

Percebe que o "tudo posso" está relacionado a sermos otimistas para enfrentarmos os nossos leões? Otimismo é a capacidade de manter uma visão positiva do futuro, tendo esperança e acreditando que melhores dias virão, mesmo quando enfrentamos tempos difíceis. Essa perspectiva nos capacita a enfrentar as tribulações com fé e coragem, sabendo que a história da nossa vida não se limita aos momentos difíceis nem às doenças, mas está repleta de possibilidades e esperança. Precisamos ter uma visão positiva, mesmo quando estamos vivendo situações negativas, e isso blinda a nossa mente.

Abandone pensamentos e atitudes negativos, egoístas ou mundanos e os substitua por uma mentalidade mais alinhada com os ensinamentos divinos, com virtudes e ações como amor, perdão, compaixão e paciência. Viva a paz que Cristo lhe dá, como ele mesmo disse: "Deixo com vocês a paz. É a minha paz que eu lhes dou; não lhes dou a paz como o mundo a dá. Não fiquem aflitos, nem tenham medo" (João 14.27, NTLH).

Desenvolver a paz que excede o entendimento requer passar por situações difíceis. O que você está vivendo hoje, na sua saúde ou em qualquer outro desafio, o está, na verdade, moldando para que se torne alguém melhor e enfrente qualquer leão que apareça daqui para frente. Deus quer restaurar a sua alma e a sua visão espiritual.

Cuidar da alma é entregar *tudo* nas mãos do Senhor. Só ele é capaz de curar as dores emocionais e nos dar a paz de que precisamos para sermos plenamente saudáveis.

Cuide da alma

1. **Cultive uma visão positiva**
   Diário da gratidão: mantenha um diário onde registra diariamente três razões para ser grato. Focar nas bênçãos cotidianas ajuda a moldar uma perspectiva mais positiva.

2. **Abandone pensamentos e atitudes negativos**
   Troca imediata: ao identificar um pensamento negativo, desafie-o imediatamente. Substitua-o por uma afirmação positiva baseada nos princípios divinos que você deseja incorporar à sua vida.

3. **Respire**
   Respiração 4x4: em momentos de estresse, respire seguindo esta sequência: inspire profundamente durante quatro segundos, segure o ar por outros quatro, expire lentamente por mais quatro e, por fim, segure a respiração por mais quatro segundos. Essa prática vai ajudá-lo a se acalmar e a ativar os hormônios de relaxamento em seu corpo. Às vezes, só precisamos respirar profundamente, até mesmo antes de orar.

4. **Entregue tudo nas mãos do Senhor**
   Momento de entrega: estabeleça um momento diário de entrega a Deus. Reserve um período específico para entregar suas preocupações em oração, confiando que ele está no controle e cuidará de você.

PERDOE

É fácil falar sobre perdão, mas não é tão fácil assim praticá-lo como Deus nos ordena. E quando não praticamos, ficamos doentes de corpo, alma e espírito. Precisamos aprender a perdoar para termos Saúde do Reino. E, acredite, sempre temos mais camadas de liberação de perdão para acessar.

Algumas pessoas sabem que têm algo para perdoar: um abuso, uma traição ou algo que alguém fez contra você e que lhe causa mal até hoje.

Assim como descascar uma cebola revela camada após camada, o processo de liberação de perdão muitas vezes se assemelha a essa experiência. Cada ato de perdão nos leva a uma jornada mais profunda, descobrindo que, assim como as diversas camadas de uma cebola, existem muitas dimensões a serem exploradas. À medida que removemos uma capa de mágoa ou ressentimento, somos confrontados com a compreensão de que há mais a ser revelado. Essas camadas representam experiências, lembranças e feridas que, embora talvez não sejam imediatamente evidentes, ainda residem dentro de nós. A jornada do perdão, como a delicada tarefa de descascar uma cebola, exige paciência e coragem, mas à medida que avançamos nos aproximamos da liberdade e saúde integral do corpo, alma e espírito.

No meu processo de cura eu precisei perdoar a igreja. Quando eu tinha cerca de 12 anos, meu pai se converteu e levou toda a família para a igreja. Até os 15 anos, eu era uma frequentadora assídua.

Como eu sempre gostei muito de música e amava cantar e tocar instrumentos musicais, identifiquei-me com o ministério de louvor e o coral. Então, participava de ensaios regulares, e o momento de louvor se tornou um dos melhores do culto para mim.

Todo sábado minha família estava na igreja, mas um deles foi especialmente difícil para nós. Chegamos, sentamo-nos, e quando olhei para frente, o grupo do coral estava no local de adoração. Eles cantaram as músicas que eu também havia ensaiado, mas não fui convidada para estar na apresentação. Foi nesse momento que o Inimigo acertou uma flecha em meu coração, e acredito que no coração da minha mãe também.

Eu segurei o choro, com o coração apertado. Queria sair correndo daquele lugar e nunca mais voltar. Uma voz gritava dentro de mim: "Como eles tiveram coragem de deixá-la de fora? Eles não gostam de você! Ninguém gosta de você nesse lugar!".

Descobrimos que eu não fui convidada ao local de adoração porque a regra daquela igreja era que só cantava ali quem fosse batizado, o que eu ainda não era, por essa razão esconderam de mim o dia da apresentação. Foi a armadilha ideal do Inimigo para me tirar da igreja, e ela funcionou por vinte anos.

Perdoe

O Inimigo calou a minha voz por todo esse tempo no louvor, e eu ainda criei uma resistência enorme em ser batizada. Até que chegou o dia em que eu estava naquele retiro, em 2017, sobre o qual falei no início deste livro. Aqueles três dias de encontro com Deus me mostraram que eu precisava liberar perdão para a igreja. Pessoas erram, e aquelas pessoas realmente erraram comigo, mas eu precisava perdoar.

Era o segundo dia do retiro. Eu já tinha chorado horrores, me arrependido de muitas coisas e sentido o Espírito Santo falar comigo. Tudo estava maravilhoso, até que a pastora disse: "Deus está me mostrando que tem alguém aqui que precisa voltar a louvar". Eu congelei nesse momento, meu coração endureceu, cruzei os braços e pensei: "Isso não, Deus, não vou ser humilhada de novo. Já está bom aqui onde eu estou, não vou para o local de adoração novamente, a cadeira está ótima. Ela deve estar falando para outra pessoa...".

Mas a pastora continuava: "Eu sei que você foi machucada, mas Deus vai fechar, hoje, essa ferida e restaurar a sua voz". O louvor começou a tocar, ela convidou para ir à frente, mas eu continuei parada. Deus tem tanta paciência com a gente, não é mesmo? O louvor continuou, e o Espírito Santo começou a ministrar no meu coração ferido. Devagar, um passo depois do outro, cheguei até a frente, ajoelhei-me e fiquei ali, chorando e perdoando aqueles que me fizeram sofrer no passado.

Lentamente, a pastora colocou o microfone nas minhas mãos, e eu abri a minha boca para louvar novamente. Era como se uma mordaça fosse retirada. Eu liberei o perdão naquele momento, mas, na verdade, eu é que fui liberta.

Deus trocou as vestes sujas de amargura e rancor que eu vestia naquele dia pelas vestes limpas e brilhantes de adoradora. Perdoar é difícil, mas, vinte anos depois, aprendi que é necessário, libertador e fundamental para qualquer processo de cura.

A dificuldade de perdoar

Sabe por que perdoar muitas vezes é difícil? Primeiro, porque guardamos mágoas e ressentimentos justificados. Foram realmente coisas muito ruins que fizeram contra nós. Segundo, porque procuramos sinais de arrependimento e remorso dessas pessoas que nos ofenderam para só depois liberarmos perdão. Ficamos esperando uma palavra ou um gesto do ofensor, que nos justifique o perdão.

Eu, pessoalmente, tenho contato com muitos alunos que sofreram com erros médicos e sentem muita dificuldade de perdoar, porque esperam que ao menos o médico admita que errou. Outras pessoas esperam que a família admita que errou ou que o cônjuge e filhos venham conversar e pedir desculpas. A verdade é que precisamos entender o que exatamente é perdoar.

Perdoar é conceder a remissão de qualquer ofensa ou dívida e desistir de qualquer reivindicação —mesmo aquela em que você teria o direito de exercer, mas não exerce porque simplesmente redime pelo perdão.

Por mais difícil que seja, o perdão não é opcional, ele é um mandamento de Deus. Jesus disse:

> Porque, se perdoardes aos homens as suas ofensas, também vosso Pai celestial vos perdoará a vós; se, porém, não perdoardes aos homens as suas ofensas, também vosso Pai vos não perdoará as vossas ofensas. *(Mateus 6.14-15, ACF)*

Descumprir um mandamento sempre nos traz consequências, e a que Jesus cita acima é terrível: não seremos perdoados por Deus se não liberarmos perdão.

Eu não sei você, mas eu não arrisco perder o perdão do Senhor, seja qual for a ofensa que eu tenha sofrido ou qualquer que seja a justificativa que eu tenha para não redimir alguém. Nada que qualquer pessoa nos tenha feito pode ser pior do que não sermos perdoados pelo Justo Juiz e recebermos a sua misericórdia. E isso basta para liberarmos o perdão.

Como alguém já disse, não perdoar é como se eu quisesse matar a outra pessoa, mas em vez de dar o veneno a ela, eu o tomo. Quando não perdoamos, tornamo-nos escravos dessa prisão de amargura. A raiva passa, mas a amargura fica, contamina e cria raízes em nosso coração, tornando-nos cada vez mais duros e insensíveis. Quanto mais o tempo passa, mais a amargura cresce, e as consequências também são vistas na nossa saúde mental e física, com o surgimento de problemas como ansiedade, tristeza, irritação, úlcera, gastrite, dores no corpo, queda de cabelo, falta de energia, doenças autoimunes e até câncer.

Não sei exatamente qual é o seu problema de saúde, mas o aconselho a se fazer esta pergunta: quem eu ainda preciso perdoar? Mesmo que essa pessoa não mereça, e você não queira mais conviver com ela, é preciso exercer perdão. O merecimento não está em jogo aqui, assim como não esteve no seu caso. Jesus morreu por você e levou os seus pecados mesmo sem você ter mérito. Deus perdoa e se esquece do seu pecado, mesmo sem você merecer.

Não perdoar porque a pessoa não merece é uma atitude que revela, na verdade, um coração orgulhoso. Não somos melhores do que Deus, e se ele, que é tão poderoso, perdoa, quem somos nós para não fazermos o mesmo? E mais: quantas vezes forem necessárias. Veja o que Pedro perguntou a Jesus e a resposta do Mestre:

> Então Pedro, aproximando-se dele, disse: Senhor, até quantas vezes pecará meu irmão contra mim, e eu lhe perdoarei? Até sete? Jesus lhe disse: Não te digo que até sete; mas, até setenta vezes sete. *(Mateus 18.21-22, ACF)*

A grande pergunta é: como isso é possível? Como posso ser uma pessoa tão evoluída e perdoar alguém que me faz um mal horrível, repetidas vezes, sem reivindicar nada, sem ao menos essa pessoa se arrepender ou merecer, e por uma quantidade de vezes ilimitada? É aqui que está mais uma chave que vai virar na sua cabeça, e de uma vez por todas você entenderá como liberar perdão: simplesmente, não conseguimos sozinhos. Somos raivosos e vingativos por natureza. Nossa carne é incapaz de ser tão madura. Somente a natureza divina, que vive em nós, é que nos dá essa capacidade, por meio do poder de Deus.

Perdoar é uma decisão, e não um sentimento. Nós só precisamos decidir perdoar, mesmo sem sentir vontade. Eu tomo a decisão e, depois disso, o poder de Deus, que flui em meu ser, me dá forças, graça e capacidade espiritual de perdoar.

Você ainda vai se lembrar do que aconteceu contra você. Não nos esquecemos do que foi feito, mas paramos de sofrer as consequências da amargura e liberamos nosso coração para sentirmos paz novamente. Ao perdoar, nós nos eximimos de julgar o que vai acontecer na vida dessa pessoa. Às vezes, ela se acerta com Deus e resolve a vida; às vezes, não, e continua errando, mas a sua falta de perdão não vai acelerar ou retardar esse processo. Nós não condenamos ninguém com a falta de perdão e não inocentamos com a liberação. Isso não nos cabe.

Eu e meu marido, Bruno, costumamos receber casais aqui em nossa casa para orientação pastoral com relação ao casamento e, quando ministramos a palavra de perdão, sempre vemos quanto o ato de perdoar é retido e precisa ser liberado. Na maioria das vezes, as mulheres precisam perdoar questões como a traição do cônjuge, e os homens, golpes financeiros e materiais que sofreram.

A bênção de perdoar

Saiba que todo perdão retido também retém uma bênção; a primeira delas é ser perdoado por Deus (cf. Mateus 6.14-15). Perdoar é uma escolha inteligente. Já basta o mal que foi feito contra você, pare de maltratar a si mesmo e ficar doente. Não queira fazer justiça com as próprias mãos, justiça que a Palavra chama de "trapo de imundícia" (cf. Isaías 64.6)

O "trapo de imundícia" refere-se ao pano usado para cobrir as feridas dos leprosos. Na época bíblica, a lepra era uma doença contagiosa e estigmatizante, e aqueles que a tinham eram isolados da comunidade. Os "trapos de imundícia" seriam, assim, pedaços de pano sujos e impuros, usados para cobrir as feridas e para sinalizar a condição contagiosa do leproso. Portanto, quando a Bíblia menciona o termo, está fazendo uma analogia simbólica para enfatizar quanto nossa justiça é impura e descartável.

Deixe a justiça nas mãos de Deus, nosso juiz e advogado. Jesus vai curar essa ferida em seu coração, mas, para que ela comece a cicatrizar da forma correta, você precisa decidir receber essa cura.

Lembro-me de uma vez em que falei sobre isso em uma aula especial para pessoas com problemas visuais. Uma das alunas, chamada Luzia, me escreveu nos comentários da aula que precisava liberar perdão para o assassino de seu filho, de 22 anos, que tinha sido morto a golpes de faca. Como mãe, quando li aquele comentário, meu coração ficou apertado. Às vezes, não queremos perdoar uma birra que outra pessoa fez para a gente, e ali vi uma mulher vivendo uma dor tão maior.

Nós oramos juntos, emocionados, para que o poder de Deus viesse sobre Luzia, e ela decidiu perdoar. Depois disso, vários outros comentários surgiram de pessoas liberando perdão para as mais variadas mágoas que sofreram do cônjuge, de filhos, médicos, parentes e membros da igreja. Foi uma libertação coletiva das cadeias de amargura para aquelas pessoas – que me marcou até hoje.

Perdoar não é humano, é divino. Só precisamos abrir a torneira, deixar as primeiras gotas de perdão saírem e, logo em seguida, o Espírito Santo completa a obra e faz jorrar águas vivas, limpando e restaurando sua vida, saúde e comunhão com Deus.

O Espírito Santo é quem limpa nosso coração depois que decidimos perdoar, e isso é um grande passo para curar a nossa saúde espiritual. Perdoar é como sintonizarmos a nossa frequência na estação de Deus. Quem já mexeu com rádio antigo de carro sabe que as músicas não eram tocadas se não sintonizássemos o rádio na frequência correta. Ou seja, é como você querer ouvir a voz de Deus, mas com o canal auditivo entupido de sujeira. Nosso coração é o canal auditivo para a voz do Espírito Santo. "E Deus, que vê o que está dentro do coração, sabe qual é o pensamento do Espírito" (Romanos 8.27, NTLH).

Precisamos limpar esse canal urgentemente. Decida liberar perdão e substitua a raiz de amargura pela semente de vida, saúde e oração em seu coração.

Sugestão de oração

Você pode decidir racionalmente orar, agora, dizendo: "Eu decido perdoar [diga o nome da pessoa]. Ajuda-me, Pai, e flui com teu poder em mim, porque eu decido hoje liberar o perdão". Em seguida, experimente orar por quem perdoou, seja uma, sejam muitas pessoas. A primeira oração será mais difícil, mas peça para o Senhor lhe mostrar como ele vê os seus ofensores. Deus tem uma visão e um propósito para aquelas vidas, e ele pode lhe mostrar isso enquanto você ora por elas.

Princípio 8

LIBERTE-SE DA CULPA

Depois de ter passado pelas páginas anteriores deste livro, se os conceitos compartilhados frutificaram em seu coração e fizeram você refletir sobre vários aspectos da sua vida, modificando crenças e comportamentos, agora chegou a hora de aprender a dizer *adeus à culpa* e a receber o perdão de Deus por qualquer erro que tenha cometido. A esse respeito, a Bíblia relata um episódio interessante da vida de Jesus.

> Ao passar, Jesus viu um cego de nascença. Seus discípulos lhe perguntaram: "Mestre, quem pecou: este homem ou seus pais, para que ele nascesse cego?" Disse Jesus: "Nem ele nem seus pais pecaram, mas isto aconteceu para que a obra de Deus se manifestasse na vida dele.
>
> Enquanto é dia, precisamos realizar a obra daquele que me enviou. A noite se aproxima, quando ninguém pode trabalhar. Enquanto estou no mundo, sou a luz do mundo". Tendo dito isso, ele cuspiu no chão, misturou terra com saliva e aplicou-a aos olhos do homem.
>
> Então lhe disse: "Vá lavar-se no tanque de Siloé" (que significa Enviado). O homem foi, lavou-se e voltou vendo. *(João 9.1-7)*

Essa passagem é sensacional. A primeira conclusão a que os discípulos chegaram sobre a causa da doença do homem é que ele ou alguém da sua família havia cometido algum pecado. Mas estavam errados. Quando perguntam a Jesus de quem era a culpa, o Mestre respondeu que não havia culpados.

Culpa nada mais é do que uma angústia da alma. Nós a vivemos de maneiras diferentes ao longo da vida: culpa por algum pecado que cometemos, pelo que acontece conosco, pelo que não acontece conosco e pelo que acontece ou não na vida dos outros (filhos, pais, etc.).

E quando estamos doentes, muitas vezes nos angustiamos e nos perguntamos o que fizemos de errado. Considero que existem somente dois tipos de culpa, e você vai entender por que nenhuma delas deve persistir em sua vida.

Culpa irreal

Essa espécie de culpa surge sem que a pessoa tenha uma responsabilidade real sobre aquilo que a faz se sentir culpada. Em outras palavras, ela sente a culpa, mas não é culpada. Você criou essa angústia para si mesmo ou deixou que alguém a impusesse sobre si. Lembre-se sempre da afirmação de Jesus: "Nem ele nem seus pais pecaram, mas isto aconteceu para que a obra de Deus se manifestasse na vida dele".

Algumas coisas nos acontecem para que a obra de Deus se manifeste em nossa vida, e glórias a ele por isso. Nem tudo aquilo por que passamos é fruto de algo errado que fizemos, ou que outra pessoa tenha feito, portanto, liberte-se agora mesmo desse peso que você não deveria mais carregar.

Jesus tem leveza para a sua vida, e não peso.

Culpa real

É aquela que nos leva ao arrependimento por algo errado que fizemos. Quando isso acontece, a confissão é o remédio.

Liberte-se da culpa

Então, se ainda há algo que o faça precisar pedir perdão a Deus ou a alguém, peça.

Quando você confessa os pecados, Deus o perdoa e liberta, como afirmou o apóstolo João: "Se confessarmos os nossos pecados, ele é fiel e justo para perdoar os nossos pecados e nos purificar de toda injustiça" (1João 1.9). E se ele nos perdoa, também nos liberta da culpa.

Aquela culpa real não existirá mais, ou seja, todo sentimento angustiante de culpa que sobrar depois disso é armadilha, doença da alma, e vai aprisioná-lo. Entenda que, na verdade, a culpa não precisa existir por muito tempo. Ela tem a função de levá-lo ao arrependimento, à confissão e à mudança de atitudes. Depois disso, ela precisa desaparecer, já que Deus nos perdoa e se esquece do que aconteceu, como afirma o texto bíblico:

> Quem é comparável a ti, ó Deus, que perdoas o pecado e esqueces a transgressão do remanescente da sua herança? Tu que não permaneces irado para sempre, mas tens prazer em mostrar amor. De novo terás compaixão de nós; pisarás as nossas maldades *e atirarás todos os nossos pecados nas profundezas do mar. (Miqueias 7.18-19, grifo da autora)*

Sim, a imagem invocada por essa metáfora utilizada pelo profeta Miqueias é que o Senhor atira nossos pecados nas profundezas do mar, onde a pressão os despedaçará e não sobrará nada. O problema é que tentamos pescar de volta os pecados que Deus já lançou num local de onde não podem ser retirados.

A moral da história é que você não precisa ficar se lembrando do que Deus já se esqueceu. Chega de trazer o passado para o presente. Pare de falar com Deus sobre o que passou e comece a falar do seu *futuro* com ele.

Devemos tomar a decisão de dizer: "Sim, eu pisei na bola, mas eu acredito que o Senhor me perdoa e se esquece dos

SAÚDE DO REINO

meus pecados". É claro que não temos de fazer coisas estúpidas sempre, e constantemente precisamos melhorar. É com isto que Deus se preocupa: sua vontade de ser cada vez melhor para ele e de andar nos caminhos dele.

Você poderia estar fazendo muitas coisas agora, mas está aqui, lendo este livro sobre os princípios bíblicos que ele deixou para você ter mais saúde, e isso alegra o coração do Eterno. Deus vai nos moldando, e o Espírito Santo, nos guiando nesse caminho de melhoria contínua.

Quando o Inimigo da sua alma tentar lhe dizer: "Mas o que você fez foi muito errado", você deve responder: "Eu não estou onde preciso estar, mas, graças a Deus, não estou onde estava antes. Melhoro a cada dia, estou no caminho e não vou deixar a culpa me parar".

Deus sabia que cometeríamos erros, por isso ele mandou Jesus, para viver aquilo que foi profetizado pelo profeta Isaías:

> Mas ele foi traspassado por causa das nossas transgressões, foi esmagado por causa de nossas iniquidades; o castigo que nos trouxe paz estava sobre ele, e pelas suas feridas fomos curados. Todos nós, tal qual ovelhas, nos desviamos, cada um de nós se voltou para o seu próprio caminho; e o Senhor fez cair sobre ele a iniquidade de todos nós. *(Isaías 53.5-6)*

Fomos perdoados dos nossos pecados por meio de Cristo, e ele nos deu sua própria justiça. Pelo sangue de Jesus fomos justificados e sarados. Você só precisa crer.

Compreenda que: "[...] agora nenhuma condenação há para os que estão em Cristo Jesus, que não andam segundo a carne, mas segundo o Espírito" (Romanos 8.1, ACF). Você é livre! O passado ficou para trás, pare de trazê-lo para o presente. Faça do seu presente aquilo que Deus planejou para você.

Sugestões para viver a liberdade da culpa em plenitude

Compartilho a seguir duas sugestões que o ajudarão a se ver livre da culpa:

Águas do esquecimento

Que tal realizar um ato simbólico para representar a entrega de seus pecados a Deus? Escreva em um papel as culpas e os arrependimentos e, em seguida, molhe e destrua o papel, simbolizando a entrega dessas preocupações às "águas do esquecimento", para refletir a aceitação divina e o perdão que lança os pecados no fundo do mar.

Foco no futuro com Deus

Seja intencional em suas conversas com o Senhor, deixando de lado constantes rememorações do passado. Em vez de discutir erros antigos, concentre-se em compartilhar seus sonhos e planos futuros com ele. Fale sobre como deseja crescer espiritualmente e construir um futuro alinhado com os propósitos divinos. Essa decisão consciente de deixar o passado para trás e abraçar o futuro com o Eterno proporcionará uma transformação significativa em sua saúde emocional e espiritual.

TENHA A FÉ QUE CURA

*P*recisamos entender acerca da cura que está disponível para *todos* e para *todas* as enfermidades e é recebida como herança por todos os cristãos. A Bíblia relata que:

> Jesus ia passando por todas as cidades e povoados, ensinando nas sinagogas, pregando as boas novas do Reino e curando *todas* as enfermidades e doenças.
> *(Mateus 9.35, grifo da autora)*

Seu problema de saúde pode parecer grave para você, mas Cristo já levou sobre si todas as enfermidades, ou seja, ela já venceu todas elas.

O problema é que até acreditamos que Jesus curou todas as pessoas relatadas na Bíblia, mas quando chega a nossa vez, vem a semente da dúvida: "Será que comigo também é possível? Deus quer mesmo me curar?".

Não duvide de que ele quer sará-lo. Melhor ainda, em nada duvide dele. Se você tem de questionar algo, duvide de sua dúvida. Pedro escreveu:

> Ele mesmo carregou nossos pecados em seu corpo na cruz, a fim de que morrêssemos

para o pecado e vivêssemos para a justiça; por suas feridas somos curados. *(1Pedro 2.24, NVT)*

Nesse versículo podemos perceber que a nossa cura física está na mesma obra da salvação, ou seja, Jesus se sacrificou para que morrêssemos para o pecado e nossa alma fosse salva, e para que também recebêssemos a cura para o corpo.

Isso é confirmado quando, em Cafarnaum, Jesus "[...] curou todos os que estavam enfermos; para que se cumprisse o que fora dito pelo profeta Isaías, que diz: Ele tomou sobre si as nossas enfermidades, e levou as nossas doenças" (Mateus 8.16-17, ACF).

Se Cristo morreu por nós e levou sobre ele nossas doenças, não é vontade de Deus que continuemos a carregar essas enfermidades. Jesus já foi feito enfermo e pecado por você, então não carregue o que ele já derrotou.

Pensar que Deus não tem cura para você é achar que a obra da cruz foi feita apenas pela metade. A doença não vem do Eterno, ela vem de Satanás para escravizá-lo, e ele pode ter plantado na sua mente, até hoje, a mentira de que o Senhor não quer sará-lo, mas tenha a certeza de que o Todo-Poderoso tem a cura para você.

O papel da fé na cura

Ter uma fé que cura é ter a certeza de que a Palavra de Deus se cumprirá em nossa vida. A fé está firmada na mensagem de Cristo e ela vem mediante ouvir a pregação do evangelho: "[...] a fé é pelo ouvir, e o ouvir pela palavra de Deus" (Romanos 10.17, ARC). Se a Bíblia lhe garante que Jesus quer curá-lo, não se pode ter fé quando se está indeciso se Deus quer sarar todos ou não.

A incredulidade tira a possibilidade de você ser plenamente curado. Falta de fé é pecado e desagrada a Deus: "[...] sem fé é impossível agradar a Deus [...]" (Hebreus 11.6, ARA). A cura vem mediante a crença nas promessas do Senhor, e quem tem fé não desanima, pois sabe que a Palavra e a promessa se cumprirão. Tenha certezas, e não dúvidas, pois "[...] a fé é o firme fundamento das coisas que se esperam e a prova das coisas que se não veem" (Hebreus 11.1, ARC).

Coisas que se veem não precisam de fé para serem percebidas, então reflita se você não está acreditando mais no que está vendo agora do que naquilo que ainda não pode ser visto, mas que certamente Deus já lhe disponibilizou. Na Bíblia, quando lemos atentamente sobre as curas feitas por Jesus, vemos que frequentemente ele usou a frase "a sua fé o curou" (cf. Mateus 9.22; Marcos 5.34; 10.52; Lucas 8.48; 18.42). Ele sempre sarava aqueles que se achegaram até ele com fé.

Na cura da mulher do fluxo de sangue, diz o texto: "Voltando-se, Jesus a viu e disse: 'Ânimo, filha, *a sua fé a curou!*' E desde aquele instante a mulher ficou curada" (Mateus 9.22, grifo da autora). Na cura de Bartimeu, o cego de Jericó, "Jesus lhe disse: 'Recupere a visão! *A sua fé o curou*'" (Lucas 18.42, grifo da autora). Na cura da filha endemoniada da mulher cananeia, "Jesus respondeu: 'Mulher, *grande é a sua fé!* Seja conforme você deseja'. E naquele mesmo instante, a sua filha foi curada" (Mateus 15.28, grifo da autora). Na cura do criado paralítico do centurião, "Jesus disse ao centurião: 'Vá! *Como você creu*, assim lhe acontecerá!' Na mesma hora o seu servo foi curado" (Mateus 8.13, grifo da autora). Na cura da filha de Jairo, Jesus disse a Jairo: 'Não tenha medo; *tão somente creia*, e ela será curada'" (Lucas 8.50, grifo da autora).

O Jesus que curou todas aquelas pessoas e outros incontáveis doentes é o mesmo que continua curando. E você deve crer que ele deseja curá-lo, hoje, afinal, "Jesus Cristo é o mesmo, ontem, e hoje, e eternamente" (Hebreus 13.8, ACF).

Você só precisa pedir a ele com fé, requerer a herança que ele deixou para você e *crer* que sua cura já aconteceu. Temos o direito de pedir a cura em nome de Jesus. E seremos curados.

Cristo, antes de curar, muitas vezes perguntava: "Que queres que te faça?" (cf. Mateus 20.32; Lucas 18.41). O Mestre quer ouvir a sua voz, confirmando que ele cura e que você quer receber essa cura, como relatado em João 5.6: "Quando o viu deitado e soube que ele vivia naquele estado durante tanto tempo, Jesus lhe perguntou: 'Você quer ser curado?' ".

Você quer ser curado? Então creia e peça. Jesus prometeu: "Peçam e vocês receberão; procurem e vocês acharão; batam, e a porta será aberta para vocês. Porque todos aqueles que pedem recebem; aqueles que procuram acham; e a porta será aberta para quem bate" (Mateus 7.7-8, NTLH). Veja que maravilhosas são estas palavras: "Se vocês ficarem unidos comigo, e as minhas palavras continuarem em vocês, vocês receberão tudo o que pedirem" (João 15.7, NTLH).

Cristo nos garante que vamos receber *tudo* o que pedirmos se estivermos unidos com ele, a questão é que ele não diz *quando*. E é nesse aspecto que nosso imediatismo destrói a nossa fé. Caímos na armadilha de pensarmos que tudo precisa ser feito na nossa hora e deixamos os sintomas dominarem nossos sentidos. Não se deixe enganar pelos seus sentidos e não permita que os sintomas influenciem a certeza de que a Palavra de Deus se cumprirá em sua saúde, afinal, "andamos por fé e não por vista" (2Coríntios 5.7, ARC).

Tire os olhos dos sintomas e volte-os para a Palavra de Deus. Guarde no seu coração as promessas bíblicas e você terá saúde, como a Bíblia afirma: "Filho, preste atenção no que eu digo. *Escute as minhas palavras. Nunca deixe que elas se afastem de você*. Lembre-se delas e ame-as. Elas darão vida longa *e saúde* a quem entendê-las" (Provérbios 4.20-22, NTLH, grifos da autora).

Fé não é sentimento, é a certeza de que há uma palavra de cura sobre você. Não é sentir, é saber. Eu sei que Jesus quer me curar, que ele pode e que a obra dele na cruz por mim já foi consumada. Então, não deixe que uma dor que você ainda sente, um diagnóstico que você leu, uma palavra de desesperança que você ouviu do médico tirem a sua fé, pois você *sabe* que a cura já foi decretada sobre a sua vida.

Ter fé é crer, confessar e é também ter *atitude* de fé. Esperança não é fé. A esperança é passiva, mas a fé é ativa. Não aceite diagnósticos e sentenças e não fique falando sobre a doença, pois isso não é ter uma atitude de fé. Não podemos nos apropriar de algo que não é nosso. A doença não é sua, então não se aproprie dela para gerar empatia e piedade dos outros. A compaixão que os outros sentem quando você fala da doença não é o que vai sará-lo e muito menos o que vai amenizar o seu sofrimento.

Repreenda palavras negativas de médicos e familiares. A palavra tem muito poder. Um diagnóstico pode virar uma sentença de morte e dar legalidade para o Inimigo. Um diagnóstico de câncer, por exemplo, dito pelo médico e repetido logo depois várias vezes pelos familiares termina dando vida para a enfermidade no mundo espiritual. Aquilo se torna palavra de maldição e acaba deixando a pessoa ainda mais doente.

Provérbios fala sobre o poder da língua: "Há palavras que ferem como espada, mas a língua dos sábios traz a cura" (Provérbios 12.18); e "As palavras agradáveis são como um favo de mel, são doces para a alma e trazem cura para os ossos" (Provérbios 16.24). Fica claro que as palavras que saem da sua boca precisam ser de cura e fé. Pare de crer na doença e de proclamar a enfermidade e comece a ter fé na cura, dizendo em voz alta: "Pelas suas feridas eu fui sarado!".

Não somatize palavras de homens, creia na palavra do seu Pai. Alimente a fé, e não a descrença. Agir com fé vai trazer à existência a cura que Deus já liberou para você. Talvez o que falta é dar esse passo de fé, é a mudança de atitude, para que a promessa se concretize em sua saúde.

Continue firme na Palavra de Deus e não desista, não ceda, pois a promessa dele não volta atrás e ele não é homem para mentir: "Deus não é como os homens, que mentem; não é um ser humano, que muda de ideia. Quando foi que Deus prometeu e não cumpriu? Ele diz que faz e faz mesmo" (Números 23.19, NTLH).

A Bíblia nos lembra do que o Senhor fez pelo povo israelita: "Na sua aflição, clamaram ao SENHOR, e ele os salvou da tribulação em que se encontravam. Ele *enviou a sua palavra e os curou, e os livrou da morte*" (Salmos 107.19-20, grifo da autora). E pelo rei Davi: "SENHOR meu Deus, a ti clamei por socorro, e tu me curaste" (Salmos 30.2).

A fé nunca falha, ela sempre vence. E você já venceu com Jesus.

Reflita sobre a sua jornada de fé

1. Você tem enfrentado a semente da dúvida em relação à possibilidade de ser curado por Deus? Reflita sobre os momentos em que a dúvida se insinuou e examine como essa dúvida pode estar afetando sua fé na capacidade divina de sará-la.

2. Como você lida com o desafio de acreditar que Deus quer curar você pessoalmente? Analise sua perspectiva em relação à vontade do Senhor para a sua recuperação. Como você pode fortalecer essa convicção e superar as incertezas?

3. De que maneira você tem exercitado sua fé ao pedir a cura em nome de Jesus? Avalie suas práticas de oração e como você tem expressado sua confiança na promessa divina de cura. Você já pediu para Cristo especificamente sobre a doença que precisa ser eliminada de sua vida?

4. Quanto da Palavra de Deus você tem ouvido e internalizado em sua jornada de fé e cura? Avalie sua prática diária de ouvir ou ler a Bíblia. Estabeleça uma rotina consistente de escuta da Escritura para nutrir sua fé e fortalecer sua convicção na obra divina de cura. Integre áudios de mensagens e pregações edificantes em sua vida diária. Ouça mensagens

que reforcem a verdade da cura divina e inspirem sua fé.

5. Em que aspectos sua fé pode se tornar mais ativa, indo além da esperança passiva? Considere maneiras práticas de manifestar uma fé ativa no cotidiano. Cultive imagens mentais positivas e construtivas relacionadas à sua cura. Visualize-se saudável e livre de sintomas, criando uma mentalidade alinhada com a fé na obra de Deus. Faça declarações diárias de fé, proclamando afirmações positivas e baseadas na Palavra de Deus em sua rotina diária. Crie declarações específicas sobre a sua cura e repita-as regularmente para fortalecer sua fé.

PRATIQUE DISCIPLINAS ESPIRITUAIS

Manter a Saúde do Reino depende de mantermos um relacionamento íntimo com o Senhor, algo que ele mesmo deseja. Ter intimidade significa ter uma relação e uma amizade muito próximas. Só conseguimos desenvolver esse tipo de conexão quando a convivência faz parte do cotidiano e nos doamos a conhecer o outro e entender o que ele pensa, sente, gosta ou não gosta.

Sermos íntimos de Deus requer disciplina e ação. A vida corrida nos rouba tempo de qualidade com o Criador, e essa pode ser a pior armadilha para sua saúde. Nesse sentido, precisamos praticar as disciplinas espirituais, pois elas são meios diários de aprimorar nosso relacionamento com Deus e de viver os benefícios do sacrifício de Jesus.

A questão não se resume à simples obediência a normas ou práticas religiosas, mas, sim, à nutrição de um relacionamento íntimo com Deus, com o objetivo de aprofundarmos o conhecimento sobre ele e permitirmos que ele provoque uma transformação em nós. Trata-se de um convite para acompanhar diariamente o Senhor, dando permissão para que ele nos oriente, instrua e nos modele de acordo com sua vontade, usando a Palavra para nos tornar cada vez mais parecidos com Cristo.

E quais disciplinas são essas? Além do jejum, que já analisamos neste livro, há muitas outras. A seguir, vou analisar algumas delas: oração, comunhão, leitura e estudo da Bíblia, ouvir a Palavra e louvor.

Oração

O apóstolo Paulo nos ensina que devemos nos alegrar e orar com constância: "Alegrem-se sempre. *Orem continuamente.* Deem graças em todas as circunstâncias, pois esta é a vontade de Deus para vocês em Cristo Jesus" (1Tessalonicenses 5.16-18, grifo da autora).

A oração é uma conversa com Deus, na qual agradecemos sua infinita bondade e todas as suas obras, pedimos perdão pelos nossos pecados e apresentamos ao Senhor todos os nossos pedidos e angústias – já com a certeza de que receberemos o melhor da sua vontade. Você pode conversar com ele o tempo todo.

Eu já me levanto pela manhã dando-lhe bom dia e pedindo que oriente o meu dia, para o cumprimento do propósito que ele tem para mim. Converse com Deus no carro, lavando a louça, enquanto rega as plantas do jardim ou durante uma caminhada na esteira da academia. Faça da oração um estilo de vida. Converse com seu Pai a todo momento. Eu pergunto a ele até que roupa devo vestir e quais alimentos escolher na hora das refeições.

Um relacionamento é algo de todas as horas. Você pode contar ao Eterno como foi o seu dia, contar sobre os momentos bons e os mais desafiadores. Ao relatar os momentos bons,

Pratique disciplinas espirituais

agradeça-lhe pelas bênçãos e alegrias que experimentou. Expresse gratidão por tudo o que deu certo e pelos momentos de felicidade. É uma oportunidade para reconhecer a bondade e a generosidade divinas na sua vida.

Quando compartilhar desafios e dificuldades, convide Deus a caminhar ao seu lado nos momentos de aflição. Isso vai trazer alívio emocional e fortalecer a sua fé, sabendo que ele o ouve e se importa com você, como afirma a Bíblia: "De tarde e de manhã e ao meio-dia orarei; e clamarei, e ele ouvirá a minha voz" (Salmos 55.17, ACF). O Senhor disse aos judaítas que havia deportado para a Babilônia: "Então me invocareis, e ireis, e *orareis a mim, e eu vos ouvirei*. E buscar-me-eis, e me achareis, quando me buscardes com todo o vosso coração" (Jeremias 29.12-13, ACF, grifo da autora).

Compartilhar nosso dia com o Todo-Poderoso é um ato de confiança e relacionamento, que fortalece nossa conexão e busca espiritual e proporciona conforto, condução e paz em nossa jornada. É uma oportunidade de expressar devoção e encontrar apoio divino a cada passo do caminho.

Entenda que Deus quer conversar com você em todos os períodos do dia. E ele é tão lindo que, quando estamos em oração, fenômenos físicos são desencadeados para nos fazer bem. Estudos já comprovaram que o hábito de orar nos deixa mais saudáveis. Os cientistas da Universidade Duke, nos Estados Unidos, realizaram uma pesquisa que confirma que a prática da oração e louvor fortalece a região do lobo frontal do cérebro, que desempenha um papel fundamental na ativação do sistema imunológico. Além disso, de acordo com o mesmo estudo, indivíduos que possuem fé têm uma média de vida de sete a quatorze anos superior à daqueles que não têm. Essas pessoas também desfrutam de melhor saúde física e mental, têm maior probabilidade de manter uma pressão arterial normal, têm seus níveis de inflamação reduzidos e apresentam um sistema de defesa orgânica mais robusto. Orar aumenta nossa resistência à dor, estimula a reconstrução cerebral, melhora a concentração e a atenção, deixa-nos mais felizes, pode nos descansar mais do que o sono, aumenta a autoestima e incrementa a capacidade de tomar decisões.[1]

São tantas maravilhas decorrentes da oração e tantos assuntos para conversar com o Criador que aconselho você a ter um caderno de oração. O meu é dividido em três partes. A primeira é onde escrevo meus agradecimentos, listando cada milagre e oração atendida e tudo de maravilhoso que ele é para mim. Na segunda parte, insiro os pedidos de oração, por mim e pelas pessoas da minha família, detalhando exatamente o que eu quero, porém pondo tudo sob a vontade soberana de Deus. Experimente, hoje, em sua oração, consultar o Pai sobre a vontade dele para o seu futuro. Manifeste seus desejos e implore que o Senhor capacite seu coração a desejar prioritariamente o que ele tem em mente para você, mais do que aquilo que você almeja para si mesmo.

Na terceira parte do meu caderno, deixo um espaço para anotar os sonhos. Muitas vezes, Deus nos dá sonhos quando dormimos, mas quando acordamos, não conseguimos nos lembrar deles. Eu gosto de anotar assim que acordo e registrar aquilo que ele me mostrou, pois sinto que aquele sonho foi uma mensagem do Senhor.

Tenha diálogos constantes com o seu Pai maravilhoso e encontre momentos para ficar a sós com ele. Pode ser em um quarto, na sala ou em um cantinho do quintal. Cristo fazia isso constantemente: "Mas Jesus retirava-se para lugares

---

[1] KOENING, Harold G. **Religion, Spirituality, and Health**: The Research and Clinical Implications. Dublin: ISRN Psychiatry, 2012.

solitários e orava" (Lucas 5.16). O Mestre mesmo orientou: "Mas, quando você orar, vá para seu quarto, feche a porta e ore a seu Pai, que está em secreto. Então seu Pai, que vê em secreto, o recompensará" (Mateus 6.6). No secreto com Deus você pode chorar à vontade, falar com ele em voz alta, louvar, prostrar-se aos pés dele e, principalmente, ouvir o que ele tem a lhe dizer.

Comunhão com Deus

Muitas vezes, queremos que Deus fale conosco, mas nunca estamos em silêncio para ouvi-lo. O Espírito Santo não costuma gritar, muito pelo contrário, na maioria das vezes, ele sussurra conosco. Cultive momentos de comunhão no secreto. Depois de orar, fique em silêncio, respire profundamente e espere Deus falar com sussurros em seu coração. Com certeza, é uma reflexão importante sobre a sua comunicação com ele.

Com frequência, desejamos receber orientação divina e respostas às nossas orações, mas muitas vezes esquecemos de que a escuta atenta é uma parte igualmente vital desse processo. O Espírito Santo não costuma se manifestar de maneira estridente. Entendo que a Palavra tem registros de ocasiões em que ele já se mostrou de maneira impetuosa e gloriosa. Eu creio que podemos viver experiências sobrenaturais impactantes, mas o que frequentemente acontece é que o Senhor fala ao nosso coração em momentos de quietude e contemplação. É no segredo dos momentos de comunhão que podemos cultivar essa sensibilidade para ouvir os sussurros de Deus.

Depois de orarmos e expressarmos nossos anseios e preocupações, é essencial permitirmos um espaço de silêncio. Ao respirarmos profundamente e nos concentrarmos em sua presença, damos ao Onipotente a oportunidade de nos falar de maneira suave e gentil.

Esses momentos de espera tranquila são preciosos, pois é aí que podemos discernir a orientação divina, sentir a paz interior e encontrar respostas que talvez não tenhamos visto de outra forma. Em nosso mundo agitado e barulhento, encontrar tempo para o silêncio e a escuta atenta pode ser um desafio, mas é um aspecto fundamental do relacionamento com Deus.

Quando nos permitimos ouvir os sussurros divinos, nossa fé é fortalecida e o entendimento das vontades e direções de Deus se torna mais nítido.

Leitura e estudo da Bíblia

O Criador deixou uma carta de amor para você, um testamento que contém heranças preciosas à sua disposição, mas, para tomar posse de todas elas, você precisa ler o que ele escreveu. Ter Saúde do Reino continuamente também significa estudar a Palavra de Deus com constância, pois manter-se no Reino é uma condição essencial para ser saudável. E só conseguimos continuar firmes quando estamos diariamente (dia e noite) reforçando as palavras dele em nosso coração. Ao comissionar Josué para liderar o povo israelita na posse da terra prometida, Deus enfatizou a importância de sua revelação escrita que havia dado a Moisés: "Não deixe de falar as palavras deste Livro da Lei e de meditar nelas de dia e de noite, para que você cumpra fielmente tudo o que nele está escrito. Só então os seus caminhos prosperarão e você será bem-sucedido" (Josué 1.8).

Meditar na Palavra significa ler ou ouvir algumas passagens da Bíblia e refletir sobre elas. Pensar em como aplicar o que aprendeu em sua rotina diária e deixar que o Espírito Santo mostre a vontade dele para você. Sempre que leio a Escritura, Deus me revela algo novo, até mesmo em versículos que já li inúmeras vezes. A Palavra é viva, e o Todo-Poderoso vai falar com você por meio dela de diversas formas diferentes.

Se você não tem o costume de ler a Bíblia, comece pelo Novo Testamento, especialmente pelo Evangelho de João. Você lerá sobre a história de Jesus e conhecer todas as curas maravilhosas que ele realizou ao longo de seu ministério. Planos de leitura da Bíblia estão disponíveis em aplicativos de celular e são ótimos para organizar e dividir um pouco de estudo por dia. Adicione lembretes nesses aplicativos e prefira a versão da Nova Tradução na Linguagem de Hoje (NTLH) para começar, que, por sinal, fica muito boa para ouvir em áudio.

Algo que funciona muito bem para mim é aproveitar os momentos de cuidado com o corpo para ouvir a Bíblia. Você pode tomar um pouco de sol, pedalar ou andar na esteira enquanto escuta a Palavra de Deus em áudio. Unir cuidado com o corpo à prática de disciplinas espirituais é algo precioso e que vai incentivá-lo a não abandonar nenhum desses hábitos.

Ouvir a Palavra

Livros cristãos em áudio e pregações em vídeo são ótimas fontes de conhecimento e iluminação da Palavra de Deus. Eles não devem substituir a leitura da Bíblia, porém são aliados em seu estudo e uma fonte de motivação diária.

Eu e o Bruno, meu marido, transmitimos pela internet aulas ao vivo toda semana, intituladas Saúde do Reino, baseadas na Palavra de Deus e repletas de oração. Convido você a participar, para reforçar os aprendizados deste livro de uma maneira dinâmica e interativa conosco. A aula +Saúde do Reino faz parte do aplicativo +Natural, que você pode acessar pelo site www.saudereino.com.br ou apontando a câmera do seu celular para o QR Code a seguir:

SAÚDE DO REINO

Além da nossa aula, você ainda tem acesso a mais de cinquenta trilhas, com exercícios naturais, receitas e suplementos vitamínicos para cuidar melhor do seu corpo e melhorar das mais variadas doenças, como diabetes, pressão alta, dores nas costas, artrose nas articulações, ansiedade, insônia, entre muitos outros.

Quando criamos a +Natural, Deus nos deu a missão de espalhar a Saúde do Reino de maneira acessível para o maior número possível de pessoas e, hoje, graças a ele, milhares de pessoas são impactadas, em vários idiomas e países do mundo.

Você não está só nessa busca por saúde e intimidade com o Senhor. Por isso, uma boa maneira de pôr suas disciplinas espirituais em dia é conviver com pessoas que estão empenhadas em também ter um relacionamento profundo com o nosso Deus maravilhoso.

Envolva a família em suas práticas espirituais. Assim, você terá aliados em casa para trocar esses conhecimentos e experiências preciosas que está vivendo com o Senhor, e é claro que todos serão beneficiados.

Participar de estudos bíblicos, encontros de oração, em igrejas ou células, também é uma maneira de ouvir a Palavra, e algo que você precisa colocar na sua agenda e na agenda da sua família.

Louvor

A música de louvor a Deus, seja ela solo, seja acompanhada de um grupo de adoradores, para mim, se tornou um remédio eficiente para curar muitas angústias. O salmista nos instou: "Cantem a Deus, cantem louvores a ele, falem dos seus atos maravilhosos" (Salmos 105.2, NTLH). Por isso, tenha uma lista de louvores salva em seu celular, para que você possa ouvir e louvar em casa, na caminhada, na academia, no carro ou em qualquer outro local.

Inunde os seus ouvidos com sons de louvores e evite músicas que não tenham bons conceitos. Tudo o que ouvimos é registrado pelo subconsciente, e toda palavra declarada pela nossa boca pode influenciar nossa vida, para o bem ou para o mal. Os sons que escolhemos ouvir, seja em forma de músicas, seja de palavras, têm o poder de influenciar pensamentos, escolhas, emoções e atitudes.

Músicas que exaltam ao Senhor, a fé e o amor de Deus têm um impacto significativo em nosso bem-estar emocional e espiritual. Evitar canções ou palavras que contenham conteúdo negativo, prejudicial ou destrutivo também é crucial.

Palavras carregadas de negatividade podem minar nossa confiança e semear o medo e a dúvida, enquanto louvores podem elevar nosso espírito, fortalecer nossa fé e promover uma mentalidade saudável. Nos dias em que estamos sem forças para orar, o louvor se torna a nossa oração cantada.

A prática do louvor se tornou algo revigorante para mim em muitos momentos de desânimo por causa da doença. Que possamos cumprir o que o salmista disse em Salmos 150.6: "Todos os seres vivos, louvem o Senhor!" (NTLH).

Conclusão

Não me canso de repetir: Deus é perfeito! Quanto mais íntimos dele ficamos, mais Saúde do Reino temos. No entanto, alcançar essa intimidade requer disciplina e ação consciente.

A preguiça espiritual pode ser um obstáculo significativo, impedindo-nos de dedicar tempo à oração, à leitura da Palavra de Deus e à busca por um relacionamento mais profundo com ele. A disciplina espiritual não só nos ajuda a superar a preguiça, mas também nos permite construir uma base sólida para o crescimento espiritual contínuo.

Quanto mais nos esforçamos para praticar o que o Criador nos ensinou em sua Palavra, mais somos capazes de experimentar a plenitude do Reino de Deus em nossa vida e, como resultado, colher os benefícios espirituais, emocionais e físicos que vêm com essa jornada de fé.

Portanto, a disciplina espiritual é um ato de compromisso e esforço pessoal. Ela envolve criar rotinas que nos aproximem de Deus, como a leitura diária da Bíblia, a oração regular, a participação na comunidade de fé e a busca constante por uma compreensão mais profunda dos ensinamentos divinos.

Parta para a ação

1. Separe ou compre um caderno para ser o seu "caderno de oração".
2. Registre na agenda um horário para estar em comunhão no secreto com Deus.
3. Baixe um aplicativo para ler e escutar a Bíblia no seu celular e inicie um plano de leitura.
4. Baixe o aplicativo da +Natural e participe das aulas sobre +Saúde do Reino.

Pratique disciplinas espirituais

5. Crie uma lista de louvores e já salve no seu celular para ouvir em todas as ocasiões.

6. Escolha uma igreja, célula ou grupo de estudo bíblico para frequentar toda semana e já marque na agenda esse compromisso. Busque quem serão seus aliados para pôr em prática as disciplinas espirituais.

DÊ O CRÉDITO DA SUA CURA A DEUS

A minha cura aconteceu depois que passei por um processo de real conversão, aproximação verdadeira e profunda de Deus, arrependimento, liberação de perdão e adoção de todos os dez princípios de que já tratamos nesta obra. Mas faltava algo que eu precisava fazer — e Deus me fez enxergar isso com muita clareza.

Muitas vezes, o Senhor nos permite chegar ao limite para nos mostrar que é ele o dono de tudo, até mesmo da cura de enfermidades. Quando fiquei doente, procurei todos os tratamentos possíveis, e, certamente, se o Todo-Poderoso tivesse me curado no início da minha busca, eu daria os créditos a qualquer pessoa, remédio, alimento ou terapia natural, menos a ele, que foi o verdadeiro responsável pela minha cura.

E, no meu caso, ser uma profissional da área da saúde era um agravante, porque a minha mente racional atribuía qualquer melhora na saúde a algo ou a alguma atitude, mas não a Deus. Creio que, por isso, ele me deixou passar por todos os tratamentos possíveis sem obter nenhum resultado positivo.

SAÚDE DO REINO

Depois de um ano, percebi que nunca tinha entregado inteiramente a doença a Deus. Eu até orava pedindo cura, mas não lhe rendia totalmente o controle. E, no fundo, achava que seria um tratamento humano que me curaria. Muitas vezes, achamos que entregamos o controle, mas quando algo mais sério acontece, pegamos o controle de volta. O Senhor conhece nosso coração, logo, sabe quando realmente vamos atribuir a ele tudo o que acontecerá em nossa saúde.

Depois de um processo de entregar e pegar de volta o controle, fiz uma oração muito profunda ao Senhor: "Pai, eu já tentei de tudo, não tenho mais forças e não sei mais o que fazer, por isso entrego tudo a ti. Eu creio na tua Palavra, que me diz que pelas feridas de Jesus eu já fui curada, por isso entrego tudo aos pés da cruz". E, pela graça de Deus, fui totalmente curada.

Sem mudar nada em minha rotina de cuidados com a saúde, ou fazer qualquer tratamento novo, minha alergia desapareceu e nunca mais voltou. Passei a comer de tudo. Lembro-me de comer e pular de alegria, glorificando a Deus. Emagreci, desinchei, parei de tossir e sempre que participava de reuniões de amigos ou família e conseguia comer de tudo, eu chorava — agora de alegria e emoção.

Eu fui curada totalmente e de um jeito tão surpreendente que não poderia ter dúvidas de que o Criador foi o autor da cura. Esse testemunho eu darei pelo resto da minha vida: fui curada pelo meu Deus lindo, maravilhoso, poderoso. Tudo pela graça e para a glória dele! E tudo aconteceu exatamente nesta ordem:

Dê o crédito da sua cura a Deus

Durante um ano, minha jornada em busca de recuperação foi repleta de tentativas e desafios. Consultei profissionais, adotei dietas específicas e segui vários tratamentos médicos, mas, por mais que eu tentasse, não conseguia alcançar uma restauração completa da minha saúde.

Foi então que percebi a necessidade de abordar não apenas os aspectos físicos, mas também os espirituais e mentais de minha condição. Foi um ponto de virada quando comecei a direcionar minha atenção para minha saúde espiritual, buscando um relacionamento mais profundo com Deus e encontrando um propósito que transcendesse minhas lutas físicas. Essa busca espiritual levou a uma cura espiritual, que, consequentemente, teve um impacto direto na cura da minha saúde mental e física. E é claro que dei os créditos a Deus pela cura física.

E você? Se a cura acontecer, hoje, na sua vida, você a atribuiria totalmente ao Senhor? Pense bem antes de responder, não se engane e não tente enganar o Onisciente, porque ele conhece o nosso coração e sabe a verdadeira resposta.

Quando você receber a cura, vai se lembrar de que o remédio que tomou ou o médico que consultou foram enviados por Deus? Ou vai louvar o especialista que o atendeu e dizer: "Fui curado graças a esse profissional, ele é muito bom"?

A Bíblia relata a história de um rei que acabou morrendo por confiar somente no tratamento, e não em Deus:

> No trigésimo nono ano de seu reinado, Asa foi atacado por uma doença nos pés. Embora a sua doença fosse grave, não buscou ajuda do Senhor, mas só dos médicos. Então, no quadragésimo primeiro ano do seu reinado, Asa morreu e descansou com os seus antepassados. *(2Crônicas 16.12-13)*

Entenda que eu não estou falando em hipótese alguma que você não deve procurar um profissional de saúde, incluindo médicos, terapeutas, etc. Eu mesma sou uma profissional da saúde e, com a graça de Deus, venho ajudando muitas pessoas. O que precisamos entender é que *tudo* vem de Deus, até mesmo a capacidade e o conhecimento que os profissionais da saúde têm para cuidar de você foram dados pelo Senhor, e somente *ele é o dono da cura.*

Procurar tratamentos, mas não buscar ajuda do Senhor, pode ser fatal. O maior conhecimento e poder deste mundo não valem nada sem a ajuda e a misericórdia divinas. Os discípulos de Jesus sabiam disso e tinham muito cuidado de não receber os créditos que pertencem somente ao Senhor, como nos mostra esta passagem:

> Certo dia Pedro e João estavam subindo ao templo na hora da oração, às três horas da tarde.
>
> Estava sendo levado para a porta do templo chamada Formosa um aleijado de nascença, que ali era colocado todos os dias para pedir esmolas aos que entravam no templo.
>
> Vendo que Pedro e João iam entrar no pátio do templo, pediu-lhes esmola. Pedro e João olharam bem para ele e, então, Pedro disse: "Olhe para nós!" O homem olhou para eles com atenção, esperando receber deles alguma coisa. Disse Pedro: "Não tenho prata nem ouro, mas o que tenho, isto lhe dou. Em nome de Jesus Cristo, o Nazareno, ande".
>
> Segurando-o pela mão direita, ajudou-o a levantar-se, e imediatamente os pés e os tornozelos do homem ficaram firmes. E de um salto pôs-se de pé e começou a andar. Depois entrou com eles no pátio do templo, andando, saltando e louvando a Deus.
>
> Quando todo o povo o viu andando e louvando a Deus, reconheceu que era ele o mesmo homem que costumava mendigar sentado à porta do templo chamada Formosa. Todos ficaram perplexos e muito admirados com o que lhe tinha acontecido.

Dê o crédito da sua cura a Deus

> Apegando-se o mendigo a Pedro e João, todo o povo ficou maravilhado e correu até eles, ao lugar chamado Pórtico de Salomão. Vendo isso, Pedro lhes disse: "Israelitas, por que isto os surpreende? Por que vocês estão olhando para nós, como se tivéssemos feito este homem andar por nosso próprio poder ou piedade? O Deus de Abraão, de Isaque e de Jacó, o Deus dos nossos antepassados, glorificou seu servo Jesus, a quem vocês entregaram para ser morto e negaram perante Pilatos, embora ele tivesse decidido soltá-lo. Vocês negaram publicamente o Santo e Justo e pediram que lhes fosse libertado um assassino. Vocês mataram o autor da vida, mas Deus o ressuscitou dos mortos. E nós somos testemunhas disso.
>
> Pela fé no nome de Jesus, o Nome curou este homem que vocês veem e conhecem. *A fé que vem por meio dele lhe deu esta saúde perfeita, como todos podem ver".* *(Atos 3.1-16, grifo da autora)*

Se você é profissional da saúde, peço a Deus que o use grandemente para curar, assim como usou Pedro e João. E quando isso acontecer, que você entenda que somos apenas instrumentos do agir dele e que a cura vem somente do Senhor.

Sejamos sábios e humildes para entregarmos totalmente nossa saúde nas mãos do Todo-Poderoso. Deus pode, sim, usar um tratamento para curá-lo, mas ele não precisa de nada nem de ninguém para realizar um milagre na sua vida. Eu sou testemunha viva disso.

Entregar nossa saúde nas mãos do Senhor é um ato de fé e humildade que reconhece nossa dependência dele em todos os aspectos de nossa vida, até mesmo na saúde. A sabedoria nos leva a buscar tratamentos e cuidados médicos quando necessário, reconhecendo que Deus pode operar por meio de especialistas, medicamentos e procedimentos médicos. No entanto, também é importante mantermos a humildade espiritual para reconhecer que, mesmo quando buscamos tratamento, a verdadeira cura vem do Senhor. Ele é o mestre do impossível e pode realizar milagres que transcendem a compreensão humana.

Embora possamos usar tratamentos e meios médicos para buscar a cura, a intervenção divina é a força suprema que opera em nossa vida. Em qualquer circunstância, devemos buscar sua orientação e depositar nossa fé nas mãos do Senhor, confiando em sua capacidade de operar milagres que vão além de qualquer explicação científica.

Isso nos encoraja a manter uma abordagem equilibrada entre os recursos médicos disponíveis e a soberania de Deus. Comece a agradecer pela sua cura neste momento. Louve a Deus e diga-lhe: "Só tu és dono da minha cura!".

Crie um espaço constante para reconhecer e celebrar a soberania de Deus

1. *Faça uma lista de atribuições.* Dedique tempo para fazer uma lista das pessoas, profissionais ou tratamentos médicos aos quais você tem atribuído a cura em sua vida. Seja honesto consigo mesmo ao analisar as perspectivas.

2. *Oração de entrega.* Entregue a Deus, em oração, todas as situações de cura em sua vida. Reconheça

que, embora os meios médicos e as pessoas ao seu redor desempenhem um papel, é Deus quem tem o poder supremo de trazer cura completa.

3. *Reavaliação constante.* Estabeleça o hábito de reavaliar regularmente a quem você atribui a cura em diferentes aspectos da sua vida. Mantenha a consciência de que, mesmo quando se utiliza de recursos médicos, é a intervenção divina que sustenta a verdadeira cura.

4. *Gratidão diária a Deus.* Integre a prática diária de expressar gratidão ao Senhor pela sua saúde. Reserve um momento todos os dias para lhe agradecer pela cura, reconhecendo sua soberania em todas as áreas da vida.

5. *Compartilhe testemunhos com foco em Deus.* Ao compartilhar testemunhos de cura, destaque a obra do Senhor em primeiro lugar. Seja intencional em glorificar a Deus antes de mencionar qualquer instrumento humano. Isso não apenas reflete uma fé sólida, mas também inspira outros a reconhecer a intervenção divina na própria vida.

EXERÇA AUTORIDADE

Um cristão tem autoridade, em nome de Jesus, para expulsar espíritos imundos e curar doenças, como o próprio Cristo afirmou:

> Mais tarde Jesus apareceu aos Onze enquanto eles comiam; censurou-lhes a incredulidade e a dureza de coração, porque não acreditaram nos que o tinham visto depois de ressurreto. E disse-lhes: "Vão pelo mundo todo e preguem o evangelho a todas as pessoas. Quem crer e for batizado será salvo, mas quem não crer será condenado. Estes sinais acompanharão os que crerem: em meu nome expulsarão demônios; falarão novas línguas; pegarão em serpentes; e, se beberem algum veneno mortal, não lhes fará mal nenhum; imporão as mãos sobre os doentes, e estes ficarão curados". *(Marcos 16.14-18)*

Jesus nos deixou autoridade para curar em nome dele, mas antes de falarmos sobre isso, vamos retomar alguns conceitos importantes. A esta altura, você já entendeu que a doença não é de Deus, que a cura é um elemento essencial das boas novas de Jesus Cristo e que ele quer que você receba a cura que já foi decretada na cruz sobre você.

Pois bem, se a doença não é de Deus, ela é do Inimigo, e ele, que só veio para matar, roubar e destruir, lança enfermidades sobre os homens para aprisioná-los e fazê-los sofrer.

Jesus, porém, destruiu as obras do Inimigo e saiu vitorioso sobre ele, como diz a Bíblia: "Aquele que pratica o pecado é do Diabo, porque o Diabo vem pecando desde o princípio. Para isso o Filho de Deus se manifestou: para destruir as obras do Diabo" (1João 3.8); e "E foi na cruz que Cristo se livrou do poder dos governos e das autoridades espirituais. Ele humilhou esses poderes publicamente, levando-os prisioneiros no seu desfile de vitória" (Colossenses 2.15, NTLH). A cruz incluiu ainda a libertação de todos nós do cativeiro das doenças.

Como já vimos, Jesus levou *todas* as enfermidades e por *todos* nós (cf. Isaías 53). Ele não deixou ninguém de fora. A Palavra de Deus é muito clara de que, ao aceitarmos o sacrifício de Cristo e crermos nele de todo nosso coração, seremos salvos e *curados*. Não é para uns ou para outros. Se você faz parte do Reino de Deus, a salvação e a cura já estão decretadas sobre a sua vida. Ou seja, toda enfermidade que possivelmente carregamos, hoje, é uma sobrecarga e algo que não devemos aceitar, pois esse peso já foi retirado de nós por Jesus.

Temos mais provas de que a doença não vem de Deus quando vemos Jesus expulsando espíritos de enfermidade durante o seu ministério aqui na Terra. A Bíblia mostra o Mestre libertando uma mulher de um espírito de enfermidade que a mantinha encurvada havia muitos anos:

> Certo sábado Jesus estava ensinando numa das sinagogas, e ali estava uma mulher que tinha um espírito que a mantinha doente havia dezoito anos. Ela andava encurvada e de forma alguma podia endireitar-se. Ao vê-la, Jesus chamou-a à frente e lhe disse: "Mulher, você está livre da sua doença". Então lhe

impôs as mãos; e imediatamente ela se endireitou, e louvava a Deus. *(Lucas 13.11-13)*

O problema de coluna dessa mulher foi sanado após Jesus expulsar dela o espírito de enfermidade, assim como aconteceu, em outra ocasião, com um cego e mudo: "Então levaram a Jesus um homem que era cego e mudo porque estava dominado por um demônio. Jesus o curou, e ele começou a ver e a falar" (Mateus 12.22, NTLH).

A Bíblia não mente, e ela está repleta de casos de cura após a expulsão desses espíritos malignos: "Quando eles foram embora, algumas pessoas levaram a Jesus um homem que não podia falar porque estava dominado por um demônio. Logo que o demônio foi expulso, o homem começou a falar" (Mateus 9.32-33, NTLH); e "Quando Jesus viu que muita gente estava se juntando ao redor dele, ordenou ao espírito mau: – Espírito surdo-mudo, saia desse menino e nunca mais entre nele!" (Marcos 9.25-26, NTLH).

Em outras passagens, vemos que curas aconteciam ao mesmo tempo em que Jesus expulsava demônios e as doenças que eles traziam:

> Ao anoitecer foram trazidos a ele muitos endemoninhados, e ele expulsou os espíritos com uma palavra e curou todos os doentes. E assim se cumpriu o que fora dito pelo profeta Isaías: "Ele tomou sobre si as nossas enfermidades e sobre si levou as nossas doenças". *(Mateus 8.16-17)*

Depois da nova aliança com Cristo, doença não é algo que Deus coloca nas pessoas para que elas sejam mais humildes ou então aprendam algo. Pelo contrário, ele enviou Jesus para expulsar as enfermidades e libertar os cristãos de todas elas. Por essa razão, sabemos que a doença não nos pertence e, pelo nome de Jesus, podemos expulsá-las. Veja o que Jesus disse aos 72 discípulos que enviou às cidades e aos lugares para onde ele iria: "Escutem! Eu dei a vocês poder para pisar cobras e escorpiões e para, sem sofrer nenhum mal, vencer a força do inimigo" (Lucas 10.19, NTLH).

Escute, a doença não é sua e o Senhor não quer que você fique enfermo, então repreenda com autoridade todo espírito de enfermidade que o Inimigo lançou sobre sua vida. O Diabo só esperneia, grita e assusta, mas não pode tocar nos filhos de Deus, remidos e lavados com o sangue de Jesus. Não tenha medo, ele já venceu por você toda e qualquer força do mal.

As pessoas têm medo quando escutam sobre demônios porque não entendem sobre a derrota esmagadora que as forças das trevas sofreram. Imagine que você está caminhando agora ao lado de Jesus, com a cabeça erguida e dando um brado de alegria. Melhor ainda, entenda que ele *vive* em você e lança fora todo medo, pois ele não conhece derrota e jamais se desesperou ou temeu. E como ele está em você, considere-se vencedor. Declare que a vitória de Cristo também é sua.

O nome de Jesus é mais poderoso do que qualquer armadilha que o Inimigo possa ter armado contra você. O mais incrível ainda é que Cristo nos disse que faríamos obras maiores que as dele: "Eu afirmo a vocês que isto é verdade: quem crê em mim fará as coisas que eu faço e até maiores do que estas [...]" (João 14.12, NTLH). Portanto, exerça a autoridade que Jesus legou a você. Ore por você mesmo com firmeza e fé, chame essa doença pelo nome e diga em voz alta:

> Enfermidade, eu não te aceito e, em nome de Jesus, te arranco da minha vida. Sai e não volta mais, porque sou filha(o) do Deus Todo-Poderoso e tenho Saúde do Reino, comprada para mim com sangue

na cruz. Oro ao Senhor e te ordeno, enfermidade, que desapareças, na autoridade do nome de Jesus. Amém.

Aleluia!!

Recebendo oração da fé

A mesma autoridade para curar e para expulsar espíritos de enfermidade que Jesus lhe concedeu ele deu a todos que também aceitam e recebem a herança que Cristo deixou. E há uma passagem bíblica muito poderosa, na qual Tiago, o irmão de Jesus, instrui sobre como devemos agir quando nos deparamos com alguém que está doente:

> Está alguém entre vós doente? Chame os presbíteros da igreja, e orem sobre ele, ungindo-o com azeite em nome do Senhor; *e a oração da fé salvará o doente*, e o Senhor o levantará; e, se houver cometido pecados, ser-lhe-ão perdoados. Confessai as vossas culpas uns aos outros e orai uns pelos outros, para que sareis; a oração feita por um justo pode muito em seus efeitos. *(Tiago 5.14-16, ARC, grifo da autora)*

Vejamos essa mesma passagem em outra tradução:

> Se algum de vocês estiver doente, que chame os presbíteros da igreja, para que façam oração e ponham azeite na cabeça dessa pessoa em nome do Senhor. *Essa oração, feita com fé, salvará a pessoa doente.* O Senhor lhe dará saúde e perdoará os pecados que tiver cometido. Portanto, confessem os seus pecados uns aos outros e façam oração uns pelos outros, *para que vocês sejam curados.* A oração de uma pessoa obediente a Deus tem muito poder. *(Tiago 5.14-16, NTLH, grifos da autora)*

Perceba que podemos receber a oração da fé, feita por um filho de Deus, justificado pelo sangue de Jesus, para que sejamos curados. A Bíblia nos garante que ela é poderosa em seus efeitos. De fato, vemos registros na Palavra de muitas curas que aconteceram depois de uma oração de fé.

Depois que Jesus enviou os 12 discípulos de dois em dois, eles curavam muitas enfermidades:

> "Então os discípulos foram e anunciaram que todos deviam se arrepender dos seus pecados. Eles expulsavam muitos demônios e *curavam muitos doentes*, pondo azeite na cabeça deles". *(Marcos 6.12-13, NTLH, grifo da autora)*

Depois da ressurreição de Jesus, os apóstolos continuaram curando e libertando as pessoas. Atos 3 relata a cura de um deficiente de nascimento, por meio de Pedro e João:

> Quando o coxo viu Pedro e João entrando, pediu uma esmola. Eles olharam firmemente para ele, e Pedro disse:
> — Olhe para nós!
> O homem olhou para eles, esperando receber alguma coisa. Então Pedro disse:
> — Não tenho nenhum dinheiro, mas o que tenho eu lhe dou: pelo poder do nome de Jesus Cristo, de Nazaré, levante-se e ande.
> Em seguida, Pedro pegou a mão direita do homem e o ajudou a se levantar. No mesmo instante os pés e os tornozelos dele ficaram firmes. *(Atos 3.3-7, NTLH)*

Eles exerciam a autoridade deixada por Jesus, e as pessoas eram saradas. A Bíblia até menciona que muitas procuravam ao menos ser tocadas pela sombra de Pedro para ser curadas:

> Por causa dos milagres que os apóstolos faziam, as pessoas punham os doentes nas ruas, em camas e esteiras. Faziam isso

Exerça autoridade

para que, quando Pedro passasse, pelo menos a sua sombra cobrisse alguns deles. Multidões vinham das cidades vizinhas de Jerusalém trazendo os seus doentes e os que eram dominados por espíritos maus, e todos eram curados. *(Atos 5.15-16, NTLH)*

Que maravilhas podem ser realizadas pelos filhos de Deus! Que vitoriosos nós somos em Jesus! Ele nos enviou para pregar o Reino de Deus e a curar os enfermos, como fez inicialmente com os Doze (cf. Lucas 9.2). Que privilégio! Se você receber uma oração de um cristão, creia que já foi curado, pois a oração da fé é muito poderosa em seus efeitos!

Mas eu vou além. Entendi na minha caminhada com Deus que ele nos dá o privilégio de sermos usados por seu poder para o cumprimento de seus propósitos e, enquanto estamos fazendo a sua obra, ele nos aperfeiçoa e abençoa. Os dons são concedidos a nós pelo Espírito Santo de Deus, incluindo os dons de cura:

> A cada um, porém, é dada a manifestação do Espírito, visando ao bem comum. Pelo Espírito, a um é dada a palavra de sabedoria; a outro, pelo mesmo Espírito, a palavra de conhecimento; a outro, fé, pelo mesmo Espírito; a outro, *dons de curar*, pelo único Espírito [...]. *(1Coríntios 12.7-9, grifo da autora)*

Aonde quero chegar com isso? Desejo que você entenda que Deus nos abençoa com dons de cura e nos dá autoridade, em nome de Jesus, para orarmos pelos doentes. Mas sabe o que acontece com frequência? Muitas vezes, pessoas são curadas enquanto oram por cura para outras. O Senhor é tão lindo que ele pode realizar a cura para ambos: quem está pedindo oração e quem está orando com fé pela cura.

E agora que você já aprendeu a desfrutar da sua herança, talvez tenha chegado a hora de também ajudar outras pessoas a desfrutar da mesma maravilha. Ore e peça a Deus que o oriente e use. Exerça a autoridade para a sua cura e para sanar os outros.

Eu sou muito grata ao Todo-Poderoso pela minha cura, e mais ainda por ele me dar o privilégio de orar por cura para outras pessoas e divulgar o evangelho de Cristo escrevendo livros e ministrando aulas. Sou muito feliz quando ele me abençoa, mas ainda mais quando ele me usa para abençoar! Desejo que você possa sentir essa mesma felicidade!

Comece orando pelas pessoas mais próximas, anunciando a elas a herança linda de cura que Jesus deixou para todos que a querem e, após elas aceitarem a herança, reivindique essa cura sobre a vida delas.

Oração final

Todos os quadros finais dos capítulos anteriores conduziram você a aplicações práticas e/ou a reflexões, porém, neste último, eu gostaria de fazer diferente. Eu quero orar por você.

Receba a minha oração sobre a sua vida:

Pai, tu és maravilhoso, perfeito, e tua vontade é soberana. Obrigada pela nossa vida. Agradeço pelo ar que respiramos e pelo alimento diário. Perdoa aquilo que fizemos e que o entristeceste. Venho pedir em especial pela vida de quem está lendo este livro agora. Deus, no primeiro capítulo essa pessoa foi conduzida a crer e

Exerça autoridade

fazer uma oração de aliança e confissão de Jesus como Senhor e Salvador de sua vida. Está escrito em tua Palavra que Jesus levou sobre si as nossas enfermidades e carregou as nossas doenças. Portanto, declaro, em nome de Jesus, que essa pessoa que estabeleceu uma aliança contigo está curada. Rejeito os sintomas causados pela enfermidade e confesso a cura.

Creio em tua Palavra, por isso reivindico para a vida dessa pessoa a Saúde do Reino agora, ou seja, saúde espiritual, mental e física. Continuo confiante e segura de que teu poder está agindo e a saúde e a cura estão se manifestando, por isso já te agradeço, em nome de Jesus. Amém.

Conclusão

Ao explorar os 12 princípios fundamentais para alcançar a Saúde do Reino, mergulhamos em um entendimento da saúde que vai além do físico, abrangendo as dimensões espiritual, mental e emocional. Cada princípio ofereceu um caminho claro para integrar a cura divina em todos os aspectos de nossa existência.

Aceite a herança e alinhe-se ao propósito nos mostrou que a saúde começa quando reconhecemos a dádiva de Deus e nos alinhamos ao que ele planejou para nossa vida.

Exerça a boa mordomia do seu corpo destacou a importância de cuidar do templo do Espírito Santo, que é o nosso corpo.

Arrependa-se e feche o ralo que drena sua energia nos orientou a romper com pecados que nos afastam da Saúde do Reino.

Ao cumprir os imperativos *Jejue* e *Ceie*, reconhecemos a importância da alimentação espiritual para nossa saúde.

Cuide da sua alma nos conduziu a uma jornada interior de equilíbrio emocional, enquanto *Perdoe* e *Liberte-se da culpa* abriram caminho para a verdadeira cura.

Tenha a fé que cura revelou a força transformadora da confiança em Deus, e *Pratique disciplinas espirituais* nos ensinou a importância da constância na busca espiritual.

Dê o crédito da sua cura a Deus reconheceu a soberania divina na cura, e *Exerça autoridade* nos impulsionou a agir, pela nossa cura e a dos outros, com a autoridade que nos foi conferida.

Em meio a esses princípios, a definição de Saúde do Reino ganhou vida. Ela não é apenas a ausência de doenças, mas a presença abundante de uma vida integral, nutrida pela conexão profunda com Deus. É a manifestação de uma saúde que transcende as circunstâncias e encontra seu alicerce na espiritualidade.

Ao encerrar este livro, convido você a não apenas absorver esses princípios, mas a agir. Aceite a herança, exercite a fé e cuide de corpo, alma e espírito.

Espalhe que a cura está acessível e é direito dos filhos amados de Deus. Uma forma de você fazer isso é dando este livro de presente ou emprestando o seu para que outra pessoa possa ler e ser curada em nome de Jesus. Indique também o aplicativo da +Natural para que mais e mais pessoas possam desfrutar daquilo de que você desfrutou. Acesse www.saudereino.com.br ou aponte a câmera do seu celular para o QR Code a seguir. Encaminhe uma mensagem agora para alguém que você sabe que precisa ser curado no corpo, na alma e no espírito.

Que Jesus o recompense grandemente por esse gesto!

Cada pessoa impactada é algo a ser comemorado, e tenho certeza de que as palavras que o Espírito Santo me levou a escrever para você neste livro impactou e transformou a sua vida de alguma maneira. Não hesite em me deixar saber como este livro e o aplicativo da +Natural influenciaram a sua vida.

Conclusão

Clicando nesse QR Code você encontra um lugar para enviar mensagens que serão direcionadas para mim.

Vamos comemorar juntos a sua cura, para honra e glória do nosso lindo Deus!

Que a Saúde do Reino se manifeste plenamente em sua vida, guiando-o para uma jornada de bem-estar integral. Que a abundância do Senhor transborde em cada dimensão da sua existência, cumprindo o propósito divino de uma vida em plenitude.

Que você seja um testemunho vivo da saúde que vem do alto, refletindo a glória do Criador em todos os aspectos da sua jornada. Afinal, a Saúde do Reino é mais que uma promessa; é uma realidade que pode ser vivida aqui e agora.

Sobre a autora

TATIANA GEBRAEL CAPANEMA é formada em Terapia Ocupacional, com especialização e mestrado na área da saúde visual e educação especial pela Universidade Federal de São Carlos (SP). Com paixão pelo bem-estar integral, ela tem se destacado ao ajudar milhares de pessoas ao redor do mundo a aprimorar sua saúde de maneira natural.

Seus programas on-line, notadamente *Olhos de Águia* e *+Natural*, conquistaram a confiança de mais de 100 mil alunos em quatro idiomas. Como autora do best-seller *Abra seus olhos*, seu primeiro livro alcançou posições de destaque nas listas dos mais vendidos no Brasil, consolidando-a como uma referência na promoção da saúde visual e do equilíbrio natural.

Além de sua dedicação ao campo da saúde, Tatiana é mãe de dois filhos, pastora na igreja Comunhão com Cristo e ministra de louvor.

A trajetória de Tatiana vai além das realizações acadêmicas e profissionais, alcançando um ponto crucial em sua vida quando teve um encontro transformador com Jesus. Essa experiência pessoal não apenas transformou sua perspectiva sobre a cura, mas também a inspirou a compartilhar seu conhecimento e sua fé, para impactar positivamente a saúde e a vida daqueles ao seu redor.

Tatiana não é apenas uma especialista respeitada em saúde visual: é uma serva e filha de Deus, cuja vida e obra refletem a busca constante pelo equilíbrio entre corpo, alma e espírito.

MINHAS ANOTAÇÕES

MINHAS ANOTAÇÕES

MINHAS ANOTAÇÕES

Esta obra foi composta em *Edita*
e impressa por Gráfica Reproset sobre papel
Offset 90g/m² para Editora Vida.